KB082206

또 다른 세계

또 다른 세계

글 손서은
그림 손서은, 임은솔

- 차례 -

또 다른 세계

제 1장 가장 존재감 없는 아이

　내 이름은 김하나다.

　아니 자세히 말하자면 김하나가 아니다. 나는 악마 세계에서
왔다. 악마 세계에서는 이름이라는 것이 존재하지 않기 때문에
나도 내 진짜 이름을 알 수가 없다.

　나는 지금 인간 세계에 내려와 있다. 나는 어릴 적부터 악마
세계를 벗어나 인간 세계로 내려오는 것이 꿈이었다. 항상 인
간들에게 나쁜 짓을 퍼붓는 비참하고 하찮은 다른 악마들을
볼 때마다 악마 세계에서 벗어나고 싶었다. 우리 가족들도 모
두 사악한 마음을 가지고 있다. 부모님도 서로를 믿지 못한다.

나는 매일 나쁜 일을 벌이는 악마들을 볼 때마다 생각한다.

'인간 세계에 가서 인간들처럼 행복하게 살고 싶다.'

하지만 그럴 방법이 없었고 최선의 방법은 유리구슬을 굴리며 부러운 눈빛으로 지켜보는 것이다. 아 유리구슬이란 악마들이 인간들을 괴롭히기 위해서는 인간들의 삶을 지켜봐야 하는데 이 유리구슬은 인간들이 현재 지금 취한 상황과 감정을 다 알 수 있다. 이제는 인간들이 먹는 것, 잠을 자는 것, 학교에 가는 것 등 사소한 일까지 모두 부러웠다. 그중 가장 부러웠던 것은 여러 가지 감정을 느낄 수 있다는 것이다. 인간들은 행복, 슬픔, 사랑, 고마움 등등의 많은 감정을 느낀다. 하지만 악마 세계에 사는 악마들은 부정적인 감정밖에 느끼지 못한다. 하지만 아무리 악마여도 남을 괴롭혔을 때는 행복한 감정을 느끼기도 한다. 물론 악마 세계에서 태어난 나도 그렇다. 그런 나에게도 인생을 바꿔 줄 만한 말을 듣게 되었다. 작년쯤이었다.

"야 그거 알아? 악마 세계에서 인간 세계로 가는 방법이 있대."

옆방에서 들리는 소리였다. 뭐? 인간 세계로 가는 방법? 그 방법이 진짜든 가짜든 나는 내 꿈을 이룰 수도 있다는 생각에 조금 더 귀를 기울였다.

"그니까 그게 뭐냐면..."

또 다른 세계

점점 소리가 작아졌다. 마치 아무의 귀에도 들어가면 안 된다는 것처럼 속삭이고 있는 것 같았다. 나는 더 자세히 들으려 노력했다.

"가장 존재감이 없는 아이의 영혼을 빼앗아 자신이 그 아이의 몸속에서 1년을 버티면 된대. 그런데 인간 세계로 가는 방법을 도전해본 악마는 있지만 성공한 악마는 단 한명 밖에 없다 그랬어."

이 방법은 보기엔 쉬워 보여도 굉장히 어려운 일이었다.

"그럼 진짜 그 아이는 어디로 가는데?"

또 옆방에서 목소리가 들려왔다.

"그건 나도 몰라. 어쨌든 그 몸으로 1년만 버티면 진짜 그 아이는 없어지고 자신이 인간의 몸으로 살 수 있는 거니까."

이런 방법이 있었다니 정말 꿈만 같았다.

'그런데 이렇게 말하고 있는 악마는 누구일까?'

갑자기 궁금증이 몰려왔다. 나는 현관문을 열고 복도로 나갔다. 그리고 옆집을 쳐다보았다. 이 방법에 대한 궁금증이 너무나도 많았지만 혹시나 이 악마가 내가 인간 세계로 내려갔다는 사실을 고발할 수도 있으니 굳이 초인종을 누르진 않았다.

나는 다시 집으로 들어가서 바로 인간 세계를 내려다봤다. 유리구슬로 말이다. 한참을 뚫어져라 유리구슬만 보고 있던 찰나, 별별 마을에 사는 가장 존재감 없는 아이인 김하나를 발견하게 되었다. 이 아이는 지금 좀 안 좋은 상황에 처해 있는 것처럼 보였다. 그리고 마음이 좀 복잡해 보였다. 내가 원한 것은 바로 이거였다. 그래서 나는 천천히 눈을 감았다. 그리고 천천히 눈을 떴다.

"여.. 여기가 어디지? 혹시 인간 세계?"

나는 인간의 집으로 추정되는 집에 덩그러니 누워있었다. 나는 화장실로 달려가 거울을 보았다.

'뭐야? 유리구슬로 내려다 봤던 그 아이의 얼굴이잖아! 그럼 내가 진짜 김하나의 영혼을 빼앗은 건가? 이 방법 생각보다 쉽잖아?'

하지만 지금 제일 걱정 되는 것은 따로 있다. 바로 진짜 김하나의 행방이다. 김하나가 만약 악마 세계에 살고 있는 내 영혼에 들어있다면 그건 정말 큰 일이다. 왜냐하면 악마 세계에선 자신의 부정적인 감정을 이기지 못해서 스스로 목숨을 끊는 악마들이 많기 때문이다. 악마 세계에선 자살은 흔한 일이다. 이 세상에서 영혼을 빼앗긴 채 인간 세계에 남아 있어도 큰 일이다. 만약 김하나가 아직 인간 세계에 남아 있다면 1년이 지나기 전에 나의 정체를 들켜버릴 수도 있다.

'만약 1년을 버티지 못하고 정체를 들키게 되면 나는 다시

악마 세계로 가게 될까? 아니면 염라대왕에게 잡혀가게 되면 어떡하지?'

염라대왕은 악마 세계의 최고 권력자이다. 인간 세계의 대통령과 비슷한 역할이라고 보면 된다. 하지만 한 가지 다른 점은 악마 세계엔 법이란 것이 존재하지 않기 때문에 뭐든지 염라대왕님의 마음대로 결정한다는 것이다. 똑같이 잘못했지만 한 명은 그 자리에서 바로 죽게 되고 한 명은 살 수도 있는 것이다. 만약 내가 인간 세계에 내려왔다는 것을 염라대왕께서 알게 되면 난 그 자리에서 죽게 될 것이다.

그래도 평생 꿈을 이루었다는 생각에 한 편으로는 후련하기도 했다.

나는 더 인간 세계에 대해 공부해서 나의 존재를 들키지 않기 위해 무작정 밖으로 나왔다.

12

또 다른 세계

인간 세계의 하늘은 악마 세계와 달리 푸른색이였다. 메일 검은 하늘만 보다 보니 하늘이 너무 예뻐 보였다.

나오자마자 보이는 것은 놀이터였다. 그 놀이터에선 시끄러운 아이들의 웃음소리가 들렸다. 놀이터를 지나면 큰 길이 쫙 펼쳐졌고 횡단보도를 건너면 삼악 중학교가 나왔다. 이 이 학교를 보자마자 김하나가 다니는 학교가 이곳이라는 것을 단번에 알아챘다. 그리고 내가 사는 곳은 별별 마을이지만 삼악 중학교에 다니는 다른 아이들이 사는 곳은 삼악동 이라는 것도 알 수가 있었다.

또한 삼악동의 아파트는 세련된 최신식 아파트라면 별별 마을의 아파트는 3층짜리의 좀 오래된 아파트인 것 같았다. 김하나라는 아이의 집은 형편이 별로 좋지 않은가 보다.

사실 난 김하나의 사정이 어떻든 인간 세계에서 1년을 버텨 인간이 될 것이다. 아무리 인간 세계가 힘들다 해도 악마 세계만큼 잔인하고 사악한 곳은 아닐 테니까.

그런데 갑자기 궁금증이 몰려오기 시작했다. 김하나가 존재감이 없는 이유 말이다. 마침 내일이 월요일, 즉 내가 처음으로 인간 학교에 가는 날이기 때문에 내일 이유를 알 수 있을 것이다.

동네 구경 다하고 집에 돌아왔을 때 그 집은 내가 알던 인간의 집과는 많이 달랐다. 골동품으로 꽉 채워진 집, 방이 없는 낡은 원룸 등 단점이 수백 가지다. 또한 정전도 많이 일어났다.

김하나는 어릴적 부모님의 이혼으로 인해 할머니와 같이 살게되었다. 부모님 두분 다 김하나를 데려가고 싶어하지 않았다. 그래서 할머니와 단 둘이 살게 되었다. 그런데 얼마 전까지만 해도 할머니랑 같이 살았지만 이젠 안 좋은 형편에도 불구하고 하나를 매일 챙겨주던 할머니마저 세상을 떠나셨다고 한다. 정말 내가 본 인간 중에 가장 불행한 아이이다.

어쩌면 이쯤으로 김하나가 존재감이 없는 이유를 대충은 알아차린 것 같았다.

또 다른 세계

제 **2장** 인간 세계의 현실

오늘은 월요일이다. 나는 아침 8시 20분에 집에서 나와 학교로 향했다. 내가 교실에 들어가자마자 아이들은 나에게 시선을 쏟아부었다. 그러고는 다시 휙 하며 고개를 돌렸다. 인간 세계 학교가 너무 낯설었다. 수업도 귀에 잘 들어오지 않았다.

"김하나 너 어제 학원 있었어?"

예쁘게 생긴 아이 2명이 다가왔다. 쉬는 시간에 말이다.

"어? 아니?"

나는 김하나의 사정을 봐서 학원을 다닐거란 생각은 하지 않았다. 그래서 아니라고 대답했다.

"야 봐봐 없었대잖아."

또 다른 세계

강해연이 말했다.

"야 근데 어제 진짜 재밌지 않았냐?"

갑자기 최라희가 비싸 보이는 휴대전화를 집어 들며 문자를 하기 시작했다. 그리고 강해연의 휴대전화에서 문자 알림음이 울렸다. 강해연도 누군가와 문자를 주고 받기 시작했다. 눈치가 상당히 빠른 나는 이 둘이 같이 문자를 하고 있다는 사실을 알아챘다. 이 둘은 계속 키득대며 문자를 주고 받았다. 마치 내가 들어서는 안될 얘기를 하는 듯 말이다.

라희와 해연이는 나와 달리 삼악동 삼악 아파트에 사는 부잣집이다. 라희랑 해연이는 얼굴도 예뻐서 굉장히 유명하다. 특히 라희가 말이다. 원래 김하나는 이 둘과 친했지만 어느 순간부터 이 둘은 나를 은근히 따시키기 시작했고 외모도 평범하고 존재감도 없는 김하나는 이 둘이랑 멀어지게 되면 더 이상 친구가 없어 진짜 혼자가 되는 것이다. 그래서 나는 이 아이들이 나를 따시켜도 이들과 멀어질 수 없는 것이다.

"야 너희 뭐하는 거야?!"

분노를 참을 수 없었던 나는 한마디 했다.

"음? 왜? 오늘 우리 하나가 왜 그럴까? 평소랑 좀 많이 다르네 오 급식시간이다. 하나 기분 안 좋은 것 같으니까 우리 먼저 갈게 하하하하하"

갑자기 머리가 아팠다. 마치 누군가 나의 머리를 때리는 것처럼 말이다. 나는 결국 급식을 먹지 못하고 조퇴를 했다.

최라희가 끔찍한 목소리로 나에게 말했다. 이 아이들은 마치 악마 같았다. 매일 나쁜 일을 저지르는 악마 세계의 악마 말이다.

김하나의 어려운 사정, 친구 관계, 가족을 잃은 슬픔 등 김하나는 내가 알던 그 인간들과는 많이 다르다. 인간 세계에 가면 좋은 일만 일어날 줄 알았는데 내 예상과는 전혀 달랐다. 어차피 난 악마이기 때문에 좋은 일이 있어도 감정을 제대로 느끼지 못하지만 그래도 인간 세계에 가면 모든 일이 꿈만 같고 행복할 것 같았지만 그것이 아니었다.

이 인간 세계도 내가 가고 싶어서 간 곳이다. 이런 걸 원한 것은 아니었는데 조금 더 알아보고 갈 걸 그랬다.

사실 진짜 김하나의 행방이라든지 만약 여기서 1년을 버티지 못하면 어떻게 되는지 등 아는 것이 없다.

만약 내가 인간 세계에 갔다는 사실을 염라대왕이 알게 된다면 나는 그 자리에서 바로 처형당할 것이다. 사실상 들킬 일은 거의 없다. 왜냐하면 나는 가장 존재감 없는 아이의 영혼을 뺏은 거니까.

'이 각박하고 비참한 인간 세계에서 나는 과연 버틸 수 있을까?' 내가 오고 싶어 온 인간 세계였지만 생각보다 힘든 인간 세계의 현실에 굉장히 놀랐다. 그래서 나는 동네 구경도 할

또 다른 세계

겸 밖으로 산책하러 나갔다. 나는 힘들고 막막할 때마다 밖에 나가는 습관이 있다.

오늘은 별별 마을이 아닌 삼악 아파트 주변을 구경하러 갔다. 삼악 중학교를 지나면 바로 35층짜리 이번에 재건축된 삼악 아파트가 나왔다. 정말 좋아 보였다. 창문이 커서 시원해 보였고, 부자들이 살 것 같은 그런 아파트였다. 아파트 사이사이에 껴 있는 놀이터들도 모두 하나 같이 깨끗하고 시설도 좋았다. 큰길로 빠져나가면 고급 빵집, 레스토랑, 유명한 오마카세 등등이 자리 잡고 있었다.

큰길을 빠져나가 또 다른 놀이터가 보였다. 그곳으로 발을 내디딘 순간 어디서 많이 들어본 듯한 익숙한 목소리가 나를 감싸기 시작했다.

"야 요즘 김하나 좀 이상하지 않냐?"

최라희의 목소리였다. 그 옆에 강해연도 있었다.

"항상 우리가 따시킬 때 조용히 있던 애가 갑자기 말대꾸하지 않나 그리고 김하나 원래 입 옆에 점 있지 않았냐? 그거 없어졌던데"

최라희가 말했다.

'김하나는 원래 입 옆에 점이 있다고? 왜 나는 없을까? 이러다 내 정체를 들키면 어쩌지?'

앞으로는 점을 그려야겠다.

"에이 메이크업으로 가렸겠지"

다행히 강해연은 나를 의심하지 않았다.

"걔가 언제부터 화장을 했다 그러냐 어쨌든 그게 문제가 아니잖아. 솔직히 우리가 김하나 약점을 얼마나 많이 아는데 그거 가지고 할 수 있는 게 많잖아. 하하하하하."

최라희는 마치 악마 같았다. 순간 최라희의 얼굴에서 악마의 형체가 겹쳐 보였다. 머리가 아파왔다. 다시는 최라희의 웃음소리를 듣고 싶지 않았다. 최라희의 얼굴도 보기 싫었다. 나는 다시 삼악 중학교를 거쳐 별별 마을로 돌아왔다. 내일 학교에 가기 싫었다. 이런 불행한 아이인 줄 알았으면 나는 차라리 악마 세계에 남았을 것이다. 나는 생각을 비우기 위해 좁은 원룸에 이불을 펴고 잠자리에 들었다.

다음날이 찾아왔다. 나는 학교에 가기 싫었던 마음을 잊고 학교로 출발했다. 학교에 거의 도착했을 때 갑자기 오늘까지 내야 하는 숙제를 까먹었다.

"아 맞다!"

그래서 어쩔 수 없이 집으로 뛰어갔다. 빨리 숙제만 들고 학교로 잽싸게 들어갔다.

나는 조용히 교실 문을 열고 교실로 들어갔다. 벌써 수업 시작한 지 5분이 넘었다.

'김하나는 존재감이 없는 아이인데 내가 이렇게 지각해서 시

선을 끌면 존재감이 생겨 내 실체가 들키면 어떡하지?'

조금 걱정이 되었다. 그래도 조심스럽게 교실 문을 열었다. 다행히도 아이들은 나에게 시선을 쏘아 붙지 않았고 선생님도 나를 쳐다보기만 하고 다시 수업을 진행하셨다. 이런 말도 안 되는 걱정은 괜히 했다.

근데 아무리 존재감이 없어도 이렇게까지 없을 수는 없다. 아무래도 김하나에게도 말 못 할 사연이 있을 것이다.

숨 막혔던 1교시가 끝나고 쉬는 시간이 찾아왔다. 최라희와 강해연이 나에게 다가왔다.

"오늘 우리 하나가 늦었네? 이렇게 늦게 온 적 처음 아니야?"

"뭐? 나는 늦으면 안 돼?"

나는 내가 괴롭힘을 당하는 상황이 너무 싫었다. 그래서 한마디 덧붙였다.

"요즘 우리 하나가 왜 그럴까?! 라희 말에 말대꾸나 하고"

강해연이 말했다. 강해연은 최라희의 오른팔이나 다름없다. 왜 이렇게 맨날 최라희를 띄워 주는지 모르겠다. 최라희는 자신과 함께 김하나를 괴롭힐 아이를 찾다가 강해연이 눈에 들어온 것이다.

"해연아 우리 그냥 매점이나 가자"

갑자기 어제가 떠올랐다. 나를 괴롭힐 때 강도를 좀 높이자는 그 둘의 소름 끼치는 대화 말이다. 상상하기도 싫었다.

'아 맞다!'

어제 놀이터에서 최라희가 김하나의 입 옆에 점이 있다고 했는데 그걸 기억하지 못했다.

"야 봐봐 없잖아"

지금 최라희와 강해연도 이 이야기를 하고 있었다.

"진짜네 근데 걔가 원래 점이 있었나?"

그래도 눈치가 상당히 없는 강해연 덕분에 위기는 만회했다. 오늘 학교 끝나고 점 찍는 펜이라도 사야겠다.

제 3장 나에게 도움을 준 인간

나는 학교가 끝나고 다이소에 가서 점 찍는 펜을 샀다. 점을 찍으려는 순간 오른쪽 입 옆일지 왼쪽 입 옆인지 고민됐지만 과감하게 오른쪽에다 찍었다. 근데 이 아이 보면 볼수록 무언가 비밀이 있는 것처럼 느껴졌다. 묘하게 말이다. 김하나는 어떨 때 보면 예쁜 것 같기도 하고 어떨 때 보면 답답했다. 진짜 이상한 아이이다.

'근데 진짜 이 아이가 존재감이 없는 이유는 무엇일까?'

도대체 왜 최라희와 강해연이 김하나를 괴롭히는 건지 알수가 없다. 사실 나는 이 아이의 얼굴이 꽤 예쁜 편이라고 생

또 다른 세계

각했다. 그런데 김하나는 안 꾸민다 해도 너무 안 꾸민다. 그 래서 최라희와 강해연이 김하나를 괴롭히는 것 같다. 나는 선 크림이라도 발랐으면 하는 마음에 선크림도 발라보고 교복 위 에 밝은색 가디건이라도 입어보았다.

'뭐야? 훨씬 낫잖아.'

왠지 김하나를 좀 꾸며준 것 같아 내가 다 속이 시원했다. 또 김하나는 학교 갈 때마다 매일 같이 머리를 귀신 같이 푸 르고 다닌다. 진짜 이해를 할래야 할 수가 없다. 나는 답답한 마음에 단정하게 머리도 묶어 주었다. 나름대로 예쁜 아이인데 꾸미지 않으니 존재감이 없을 수밖에 없다.

내가 생각한 인간들의 모습은 이게 아니었는데 그래도 좀 특이하고 이해할 수 없는 김하나가 점점 익숙해지고 있는 것 같아서 다행이다.

내가 생각한 인간의 모습은 자신을 꾸미는 것을 좋아하고 서로 도우며 배려하는 평화로운 세상이었다.

근데 김하나의 세상은 평화롭긴 글렀다. 그냥 이 불공평한 세상에서도 긍정적인 마음을 가지며 익숙해지는 것이 김하나 의 몸속에서 실천할 수 있는 최선의 방법이다. 하지만 김하나 는 마치 악마처럼 부정적인 마음을 가지고 있다.

하긴 나였어도 그럴 것 같다. 부모님도 이혼하고 할머니도 돌아가시고 심지어 반에서 따돌림을 당하고 있는데 말이다. 아무리 김하나의 인생이 힘들더라도 악마 세계만큼은 안 힘들 줄 알았다.

나는 조금이라도 꾸민 모습으로 학교에 갈 생각을 하니 내일이 기대됐다.

다음날 나는 학교에 갈까 말까를 수백 번도 넘게 고민했다. 그 이유는 저번에 삼악동 놀이터에서 들었던 최라희와 강해연의 말이 떠올랐기 때문이다.

'고작 그 둘 때문에 학교에 결석할 순 없어!'

나는 그래도 꾸며본다고 꾸몄는데 학교에 가지 않는 것은 좀 아니라는 생각이 들어서 학교로 출발했다. 내가 학교에 도착하자마자 강해연과 최라희는 속닥거렸다.

"야 김하나 뭐냐? 갑자기 점도 생기고."

"걔 원래 점 있었다니까."

"아니야 이번 주 월요일부터 입 옆에 점 없었다니까."

"에이 너가 잘못 본 거 겠지."

도대체 왜 최라희는 내 점에 그렇게 관심이 많은 건지 모르겠다. 항상 수업 시간이면 뭔가 이상하다는 듯이 내 점을 뚫어져라 쳐다본다. 진짜 최라희가 나를 그런 시선으로 볼 때마다 부담스럽고 한편은 내 정체를 들킬까봐 걱정됐다. 최라희는 수업 시간에는 수업에만 집중할 것이지 왜 내 점만 뚫어지게 쳐다보는 건지 정말 부담스럽다.

드디어 숨 막히는 수업 시간이 끝났다. 최라희와 강해연이 나를 화장실로 불렀다.

"하나야 너는 첫 번째 칸에 들어가."

다른 인간이 한 말이라면 순순히 첫 번째 칸에 들어갔을 텐데 최라희가 말하니 왠지 느낌이 수상했다.

"싫어."

나는 순간적으로 싫다는 말을 해버렸다.

"하나야 라희가 말하면 그냥 좀 듣지 그래?"

강해연의 한마디로 온몸에 소름이 돋았다. 그리고 그들은 나의 몸을 화장실 첫 번째 칸으로 밀어 넣었다.

"잘 있어. 하나야. 하하하하하."

쾅 하는 소리와 함께 첫 번째 칸의 문이 닫혔다. 문을 아무리 세게 흔들어도 화장실 문은 열리지 않았다. 아무래도 걸레로 화장실 문을 막은 것이 분명하다.

'하... 곧 있으면 수업시간인데. 이제 어떡하지?'

수업시간에 수업을 듣지 못할까봐 걱정됐고 여기서 빠져나가지 못하면 어떡할지도 걱정됐다.

디리링띠리리링딩.

다음 교시가 시작되는 종이 울렸다. 김하나와 강해연이 괴롭힘 강도를 높인다더니 이럴 줄은 상상도 못 했다. 나는 좁은 화장실 첫 번째 칸에서 절망에 빠진 목소리로 도움을 청했다.

"도와주세요."

내 말엔 역시 아무도 대답하지 않았다. 내가 정말에 빠져 눈물이 나려던 그때.

"어머 학생 어쩌다 여기 갇힌 거야? 괜찮아?"

어떤 한 아주머니가 화장실 첫 번째 칸에 들어오며 나는 꺼내 주었다. 이 아주머니는 청소부 아주머니처럼 보였다.

"저기 저 남학생이 네 목소리를 듣고 아줌마한테 도움을 청해서 내가 문을 열어 준 거야."

아주머니는 손가락으로 화장실 밖을 가리키며 말했다. 그리고 아주머니의 손끝엔 최제호가 있었다.

최제호는 우리 학교 전교 1등인 아이이다. 심지어 농구부여서 농구까지 잘한다. 얼굴도 잘생겼기로 유명하다. 그래서 우리 반 아이들은 물론 다른 반 아이들도 쉬는 시간이 되면 최제호를 보려고 우리 반 앞 창문으로 온다. 그리고선 힐끔힐끔 최제호를 구경한다. 나였으면 굉장히 부담스러웠을 텐데 최제호는 이런 시선에 익숙해졌는지 아무 신경을 쓰지 않는다.

"하나야 괜찮아? 내가 보건실 가다가 네 목소리가 들려서."

"어... 고마워."

'이 싱숭생숭한 느낌은 뭐지?'

그런데 보건실에 가려던 참이었던 최제호의 팔에는 피가 철철 흐르고 있었다.

"너 팔..."

"아, 이거 그냥 농구하다가 넘어져서 딱히 신경 안 써도 돼."

나는 약과 밴드를 건네주며 말했다.

"이거라도 발라 나는 가볼게."

나는 지금 교실로 들어가면 아이들의 시선이 모두 나로 향할 것 같은 느낌이 들어서 운동장으로 나갔다. 그리고 벤치에 앉았다.

'방금 이 싱숭생숭한 기분은 뭐였을까?'

태어나서 난생처음 느껴보는 느낌이었다. 약간 심장이 뛰면서 뭔가 싱숭생숭하고 부끄러운 느낌이다. 말로 설명하긴 어렵지만 나쁜 느낌은 아닌 것 같다.

악마 세계에 사는 악마들은 부정적인 감정밖에 느끼지 못한다. 하지만 인간들은 여러 가지 감정을 느낄 수 있다. 물론 그 여러 가지 감정에 사랑도 포함됐다.

'혹시 이것이 말로만 듣던 사랑..?'

나도 점점 인간화 되고있는 것 같았다. 인간 세계에 처음 내려와을 때 감정이랑 비교도 안된다.

내가 생각한 사랑이랑은 많이 다르지만, 이것은 분명히 사랑이다.

'그럼 진짜 김하나는 제호를 좋아하는 건가? 아니면 내가 인간이 된 후부터 내가 제호를 좋아힌 것 일까?'

왠지 내가 먼저 좋아한 것은 아닌 것 같다. 나는 김하나의 영혼을 뺏어 인간이 된 후부터 인간 세계에 적응하고 또 최라희와 강해연 때문에 힘든 나날을 보내니 누군가를 좋아할 시간도 없었다.

'아니면 혹시 전교 최강 인기남 최제호가 나를 좋아하는 건가?'

그럴리는 없다. 이 세상에 여자는 많고 예쁜 사람도 많다.

'그런데도 최제호가 나 따위를 좋아한다?'

그건 말이 안 되는 일이다. 최제호는 최라희같이 인기도 많고 예쁜 애를 좋아할 것이다.

'그럼 이건 김하나의 짝사랑?'

또 다른 세계

짝사랑이라니 생각만 해도 얼굴이 뜨거워지고 붉어진다. 나 혼자만 사랑하는 사람이 있다니 정말 부끄러운 사랑인 것 같다. 진짜 김하나는 최제호를 짝사랑 하지만, 나는 짝사랑을 하지 않을 것이다.

"어떻게 나 혼자만 좋아해. 그런 사랑은 절대 안 해."

진짜 아무리 잘 나가고 멋진 연예인이 와도 나는 짝사랑을 하지 않을 거다.

디리링따리리링딩

쉬는 시간 종이 울렸다. 나는 후다닥 교실로 들어갔다.

"뭐야?! 김하나가 왜 저기 있어?!" 최라희가 화난 목소리로 말했다.

"너 어떻게 빠져나왔어?"

나는 차마 제호가 도와주었다는 말을 하지 못했다.

"분명 걸레로 막았는데."

"처..청소부 아주머니가 도와주셨어."

사실 제호가 나를 먼저 발견했기는 하지만 청소부 아주머니가 도와준 것도 맞는 말이다.

"하.. 야 너 내일 보자."

최라희는 우리 학교 학생이 나를 도와 주었다고 하면 바로 그 아이를 찾아 갔을텐데 하필 청소 아주머니가 나를 도와 주어서 당황했는지 내일 보자는 말만 하고는 교실을 빠져 나왔다.

진짜 최제호가 나를 도와주었다는 말을 꺼냈으면 큰일 날뻔했다. 하여튼 큰일이 벌어지지 않았으니 다행이다.

'그런데 아까 내가 느꼈던 감정은 진짜 사랑이란 감정일까?'

나는 남은 수업을 들을 때도, 급식을 먹을 때도, 하교를 할 때도 최제호에게서 느낀 이름 모를 감정 때문에 모든일에 집중이 안되고 머리만 아파왔다.

사실상 나도 인간 세계에 살고 있지만 내 원래 모습은 악마이기 때문에 나에게는 굉장히 생소한 감정이다. 나는 김하나의 폴더폰으로 긍정적인 감정에 대해 찾아도 보고 사랑에 대해도 찾아봤다. 사랑이란 계속 생각나고 그 아이 이야기만 나오면 나도 모르게 움찔하고 그 애 얼굴을 보고 있으면 가슴이 뛴다나 뭐라나. 나름 해당되는 것 들이 많았다. 아무튼 나는 절대 짝사랑은 하지 않을 것이다.

'차라리 개도 나를 좋아하게 만들겠어!'

아직 최제호가 나를 좋아한다는 정확한 근거가 없기 때문에 나를 도와줬다고 나를 좋아한다고 판단하는 건 너무 이르다.

아무리 내가 오늘 좀 선크림도 발라보고 옷 스타일을 바꿔봤어도 말이다. 그리고 사람이 화장실에 갇혀있는데 안 도와주는 것도 이상한 거다. 또한 아무리 내가 밴드와 약을 줬어도 그거 하나로 외모도 몸매도 특출나지 않은 나를 좋아할 이유

또 다른 세계

도 없다. 물론 사람마다 보는 눈이 다르고 이상형에 관한 기준점도 다르다. 하지만 인기도 많은 최제호가 나를 좋아할 확률은 매우 낮다.

최제호가 나를 조금이라도 좋아하게 만들려면 내가 더 적극적이어야 하며 여우처럼 보이지 않게 굴어야 한다. 이런 거로 넘어오지 않아도 상관없다. 어차피 나는 특별한 존재도 아니고 존재감이 많은 사람도 아니니까.

나는 이제 확신에 찼다. 내가 느낀 감정이 사랑이 맞다는 걸 말이다.

나는 텔레비전에 나오는 유명 연예인들처럼 예뻐지고 싶다는 생각을 해본 적이 없다. 그 말인즉슨 나는 악마였던 내 얼굴도 지금 김하나의 얼굴도 엄청나게 예쁜 얼굴은 아니어도 각자 개성 있는 얼굴을 가지고 있다고 생각한다는 뜻이다.

'생각해 보니 내 진짜 얼굴을 마지막으로 본 게 언제더라? 정말 오래돼서 내 원래 얼굴을 까먹을 뻔했어! 혹시 지금이 내가 인간 세계로 내려온 지 거의 두 달이 넘으니 점점 원래 나의 모습에 대한 기억을 잊어 가는 것인가? 그럼 1년이 지나서 내가 완전한 인간이 된다면 원래 김하나는 없어지고 나는 예전 악마 세계에서 보냈던 시기를 잊고 김하나의 몸에서 평생 살아가는 건가?'

내 생각엔 왠지 이게 맞는 것 같다. 예전 내 얼굴을 한 번이라도 보고 올 걸 그랬다. 나름 내 개성이 뚜렷한 얼굴이었다.

　나는 스케치북을 펴서 기억을 되살려 내 원래 얼굴을 그렸
다.

또 다른 세계

그림에 소질은 없지만 은근 예전 얼굴과 닮은 것 같기도 하다.

'근데 만약 내 생각이 맞다면 김하나는 지금 이 세상에 남아 있는 것인가?'

아마도 김하나는 악마 세계의 내 모습으로 살고 있기보다는 지금 이 인간 세계에 살고 있는 게 분명하다. 그럼 내가 언젠가 진짜 김하나를 만난다면 물어보고 싶은 점도 많고 하고 싶은 말도 많다.

'하지만 김하나가 내 이야기를 들어줄까?'

나는 아주 쉽게 인간 세계로 내려오게 되었다. 가장 존재감 없는 김하나의 영혼을 뺏어 가면서 말이다. 그렇기에 지금 진짜 김하나는 누가 영혼을 뺏어 갔는지는 몰라도 영혼을 뺏어 간 자에게 무척 화가 나 있을 것이다.

'근데 생각해 보니 내가 진짜 김하나를 만나게 된다는 보장이 없잖아?'

그럼, 김하나를 만날 방법은 딱 하나, 내가 영혼을 빼앗긴 진짜 김하나를 찾는 거다. 나는 무턱대고 밖으로 나갔다. 그런데 내가 밖에 나오자마자 비가 쏟아지기 시작했다.

'하 진짜 내가 밖으로 나갈 때만 비가 오냐.'

나는 다시 집에 들어가 단 하나뿐인 낡고 살짝 부러진 우산을 들고 다시 나갔다.

'왠지 삼악동 반대편으로 가야 할 것 같아.'

나는 한 번도 가본 적 없는 별별 마을 안쪽으로 향하기 시작했다. 나는 이 별별 마을이 너무 싫었다. 그래서 이곳보다 더 안쪽은 가지 않으려 했는데 왠지 이곳을 가야 할 것 같았다. 안쪽으로 들어가면 갈수록 마음은 갑갑하고 가슴은 더 빨리 뛰는 느낌이었다. 그런데 갑자기 뒤에서 나를 부르는 소리가 들려왔다.

"하나야!!"

나는 뒤를 돌아봤다. 내 뒤에는 제호가 나를 향해 뛰어오고 있었다. 우산을 들고 있었지만 비를 다 맞고 온 것처럼 젖어 있었다,

"하나야 할 말이 있어서 왔어."

"근데 여긴 어떻게....."

"네가 자주 오는 곳이잖아. 그냥 여기에 와야지 네가 있을 것 같아서."

'난 그런 말을 한 적 없는데 원래 김하나가 말해준 것 같아. 그럼, 이곳이 바로 김하나가 자주 오는 곳...?'

"그래서 할 말이 뭔데..?"

"네가 저번에 준 약 돌려줄 겸 이번 주말에 만나자고."

"그건 지금 주면 되잖아."

"어? 아... 그게 내가 지.. 집에 두고 와서 허허 어쨌든 이번 주말에 만나 난 가볼게. 내일 학교에서 봐. 안녕."

"어? 내일 주면 되잖..."

제호는 급한 일이라도 있는 듯 헐레벌떡 뛰어가 버렸다. '분명 오늘은 목요일이고 내일 학교에서 돌려줄 수 있는데 왜 꼭 주말에 만나자는 거지?'

아무리 생각해도 이해가 가지 않았다.

'혹시 내일 학교에 못 오나? 아니면 약을 잃어버렸는데 아직 약을 구매하지 않아서 그런가?'

그러고 보니 제호의 행동도 좀 이상했다. 약간 당황한 듯했다.

'그럼 혹시 데이트 신청?!'

"아닐 거야 나 따위가 무슨 제호랑 데이트야 아니야 절대 아니야!"

분명히 사정이 있을 거다. 제호는 성격도 좋고 얼굴도 잘생겼으니 최라희 같은 애들을 좋아할 거다. 그리고 최라희도 최제호를 좋아하는 것 같다. 맨날 쉬는 시간이 되면 제호한테 가서 끼란 끼는 다 부리는데 어떻게 그걸 모르겠냐.

나는 그냥 포기하는 게 좋을 것이다. 솔직히 최제호도 진짜 김하나가 좋아하는 거지 내가 좋아하는 것은 아니니까.

'잠시만 나 왜 밖에 나갔었지? 분명 제호를 만나러 간 건 아닌데 아! 맞다 나 진짜 김하나를 만나러 갔었지? 하 집에도

또 다른 세계

들어왔으니 그냥 다음에 꼭 가야겠다.'

진짜 김하나를 만나러 갔는데 최제호를 만나고 와 버렸다.

'그런데 왜 오늘 주면 될 약을 들고 오지도 않고 나를 향해 그렇게 뛰어왔을까? 어쩌면 데이트 신청이 맞을 수도?'

하지만 좋은 일이 오면 나쁜 일도 따라오는 법. 내가 최제호랑 데이트 한다는 사실을 최라희가 알게 된다면 난리가 날 거다. 내가 제호랑 만난다는 사실을 절대 최라희가 알게되면 안 된다. 나를 화장실에 가두는 것보다 더 끔찍하게 괴롭힐 것이다.

하여튼 내가 제호랑 데이트라니 설레기도 하면서 한 편으로는 걱정되기도 했다. 누군가 나랑 제호가 데이트를 하고 있다는 사실을 알게 되면 나는 물론 제호까지 위험해질 수도 있기 때문이다. 최라희도 제호를 좋아하니 내가 제호랑 만난다는 사실을 알게되면 또 얼마나 심하게 괴롭힐까 걱정도 됐다.

제호는 부정적인 감정으로만 덮여있던 나에게 처음으로 긍정적인 감정을 느낄 수 있게 해준 인간이다. 또한 내가 화장실에 갇혀있을 때 구해준 인간이다. 그렇기 때문에 나는 제호랑을 최소 인사라도 하며 지내고 싶다. 사귀는 사이는 아니라도 말이다.

'어짜피 내가 최제호랑 사귀면 최라희는 나를 가만두지 않을 거야.'

생각을 많이 하니까 머리가 아팠다. 진짜 김하나는 왜 이렇게 두통이 심한지 모르겠다. 김하나에게는 약을 사 먹을 돈도 없다.

'아무리 가난해도 약은 잘 챙겨 먹지.'

이제 김하나가 내 몸이다 보니 건강에 대한 걱정은 더욱더 커져갔다.

'왠지 내일은 제호가 학교에 오지 않을 것 같아.'

애초에 내일 학교에 온다면 약을 내일 주면 된다. 근데도 제호는 주말에 약을 준다고 했다. 분명 내일 제호는 학교에 오지 않을 것이다. 역시 데이트는 아니었던 것이다.

또 다른 세계

제 **4장** 제호의 비밀

오늘은 금요일 아침이다.

'하 또 최라희랑 강해연은 얼마나 심한 장난을 칠까?'

최라희가 두렵지만 나는 악마 세계에서 온 악마다. 어떻게든 견뎌낼 거다.

'어짜피 학교가도 제호 같이 나 알아주는 인간 없는데.'

나는 좀 무거운 발걸음으로 집을 나섰다.

드르륵

교실문을 열었더니 웬걸 제호가 책을 읽고 있었다.

'그럼 왜 꼭 주말에 만나지고 한거지?'

순간 머리가 복잡해 졌다.

"어? 하나 벌써 왔네! 우리 토요일에 만나기로 한 거 기억나지? 나 벌써 놀이공원 티켓까지 끊어놨어."

'약만 주고 끝나는 거 아니었나?'

"어?"

"먼저 말 못 해서 미안해. 혹시나 무서운 거 싫어하면 퍼레이드 6시에 시작하니까 퍼레이드도 보자."

벌써 놀이공원 일정까지 다 찾아본 것 같았다. 이런 제호에게 약은 오늘 주면 됐다는 말을 할 수가 없었다.

"그럼, 내일 아침 9시에 만나."

그때 최라희와 강해연이 웃으며 들어왔다.

"야 김하나 너 화장실에 갇혀있을 때 구해준 거 화장실 청소부가 아니라 제호라며?! 너 제호랑 무슨 사이냐?"

"어디서 들은 말인지 모르겠지만 제호는..."

"야 최제호 너가 애 화장실에 있을 때 문 열어줬어?"

최라희가 내 말을 끊고 제호에게 달려들며 말했다.

"어? 어... 난."

"야 라희야 그냥 가자."

다행히 강해연은 최라희의 화를 가라앉혔다. 하마터면 큰일 날 뻔했다. 그리고 숨 막히는 1교시가 시작되었다.

1교시가 끝나고 쉬는 시간이 찾아왔다.

"야 김하나 너 언제부터 제호랑 그렇게 친했냐?"

최라희의 갑작스러운 질문이었다.

"아니 제호가 약 돌려준다고 만나재서."

"약? 무슨 약?"

그때 나는 잘못됨을 감지했다.

'안돼. 그 일은 절대 말하면 안 돼.'

나는 너무 놀라 교실 밖을 뛰쳐나가 버렸다. 나는 최라희에게 따지고 싶었지만 입은 내 마음대로 움직이지 않았고, 다리는 학교 밖까지 뛰고 있었다. 내 몸은 내 마음대로 움직이지 않았다.

또 다른 세계

'내 몸이 왜 이러지?'

입은 굳어버렸다. 다리는 재 멋대로 움직였다.

"하나야"

"허헉..!"

누군가의 목소리에 정신이 번쩍 들었다. 바로 제호였다.

"헉.. 헉.. 헉."

숨이 차오르기 시작하고 심장이 빨리 뛰었다.

"너 괜찮아? 우리 보건실이라도 가자."

"아니야 난 어지러워서 쌤한테 말해서 조퇴하려고."

나는 오늘도 어김없이 조퇴를 했다.

'방금 내 몸이 말을 듣지 않아.'

아무래도 이 모든 사실을 알고 있는 사람을 만나봐야 한다. 그 사람만이 진실을 알고 있을 것이다. 지금은 그 아이를 찾기보단 내일 제호랑 만난다는 게 더 중요한 것 같다. 오늘은 머리도 아프고 몸도 안 좋으니 빨리 침대에 누웠다.

'부디 내일은 아프지 않기를.'

.

.

.

.

오늘은 굉장히 중요한 날이다. 나는 옷도 예쁘게 입고 머리까지 묶었다. 오늘은 제호랑 만나는 중요한 날이니까. 옷과 찰떡인 가방까지 메고 선크림까지 발라주면 완성. 나는 한껏 들뜬 마음으로 약속 장소로 향했다. 약속 장소는 별별 마을 분식집 옆 벤치였다. 내가 도착했을 때 이미 제호는 벤치에 앉아서 나를 기다리고 있었다.

"어 하나 왔네. 우리 시간이 없어 빨리 지하철역 타고 놀이공원까지 가야 해. 사람 많아지기 전에 빨리 가서 표도 끊어야 하고 빨리 따라와."

생각보다 계획적인 아이이다.

"어.. 알았어."

나와 제호는 같이 지하철을 타고 놀이공원으로 향했다. 가는 길은 생각보다 복잡했지만, 나는 제호만을 의지하며 걷고 또 걸었다.

"도착했다."

토요일이어서 그런지 놀이공원은 사람들도 가득 차 있었다. 사실 난 이런 북적북적한 곳을 별로 좋아하지 않는다. 그래도 꽤 재밌을 것 같았다.

나와 제호는 표를 끊고 놀이공원 안으로 갔다.

"여기 오면 머리띠는 꼭 사야 한대 우리도 사자!"

'놀이공원을 가기 위해 쓴 돈이 얼만데 또 저 비싼 머리띠를

쓰자고?'

"돈은 걱정하지 마! 내가 사줄 테니까."

좀 미안했지만 사준다는데 거절할 필요는 없다. 나는 제호의 눈치를 보면서 매장 안으로 들어갔다. 제호는 귀여운 여우 머리띠를 골랐다. 나는 고민하다가 고양이 머리띠를 하나 집어 들었다.

"고양이? 잘 어울린다."

"어.. 고마워. 너도 잘 어울려."

"그럼, 이제 우리 롤러코스터 타러 가자. 빨리 따라와."

나는 제호를 따라 롤러코스터 쪽으로 향했다. 롤러코스터를 타다간 아래로 추락할 것만 같고 기다리는 줄도 어마어마했다.

"생각보다 별로 안 무서울 거야."

나는 조금 꺼려졌지만, 제호가 타자니 어쩔 수 없이 줄을 섰다. 줄을 한 시간이나 서야 한다니 벌써 다리가 아팠다.

'아니 애초에 2분짜리 놀이기구를 타려고 1시간을 넘게 기다릴 거면 차라리 타지를 말지.'

그래서 제호랑 같이 솜사탕도 먹었다. 솜사탕의 맛은 달달했고, 입 안에서 사르르 녹았다.

롤러코스터를 기다리며 제호랑 대화를 나누다 보니 어느덧 우리 차례가 왔다. 나와 제호는 맨 뒷자리에 나란히 자리를 잡았다.

"이게 진짜 재밌대 나 너무 기대돼."

제호의 목소리에는 설렘과 기대가 가득 차 있었다.

"나도."

사실 나는 그다지 기대가 되지 않았지만 제호에게 맞춰주려고 싫은 티를 내지 않았다.

"자 벨트 다 착용하셨으면 바로 출발하겠습니다. 레츠 고."
알바생 언니의 목소리로 롤러코스터가 천천히 움직이기 시작했다.

'뭐야 생각보다 안 빠르잖아.'

내가 생각하자마자 속도가 빨라지기 시작했다. 롤러코스터는 빠른 속도로 어두컴컴한 곳을 지나갔다. 그러면서 갑자기 눈앞이 환해지면서 느린 속도로 오르막길을 오르기 시작했다.

"이제 곧 떨어진다."

제호와 조종사 생각이 통한 건지 롤러코스터의 속도가 빨라지며 밑으로 떨어졌다.

'처음 느껴보는 짜릿함이야!'

"꺄아아아아."

다른 일행들도 나와 같은 짜릿함을 느꼈는지 소리를 질렀다.

머리가 산발이 되었지만 괜찮았다. 바람으로 인해서 내 가디건이 벗겨질 뻔했지만 괜찮았다. 이제야 제호의 마음이 이해가 간다.

또 다른 세계

'이 짜릿함을 느끼기 위해 1시간 30분을 기다리는구나!'

머리가 산발이 된 채로 롤러코스터는 종료되었다.

"아쉽지만 롤러코스터는 여기까지였습니다."

나와 제호는 놀이기구 밖으로 빠져나왔다.

"나 너무 재미있었어. 이런 느낌 처음이야!"

"너가 좋아해서 다행이다. 그럼, 우리 다른 것도 타러 갈까?"

"그래."

나는 제호와 회전목마도 타고 후룸라이드도 탔다. 예쁜 사진도 많이 건졌다.

그런데 계속 놀다 보니 배가 고팠다.

"우리 놀이기구도 많이 탔으니까 뭐 좀 먹으러 갈래?"

"그래 나도 마침 배가 고프네."

나와 제호는 근처 분식집에 들어갔다. 우리는 떡볶이랑 튀김을 시켰다. 떡볶이는 매콤하고 달달했다. 또 튀김은 바삭했다. 너무 배고파서 더 맛있게 느껴지는 것 같았다.

"어머 학생들 너무 예쁘다 커플이야? 너무 이뻐서 그러는데 내가 서비스로 콜라 하나 줄게."

나는 너무 당황스러웠다.

'내가 최제호랑 커플이라니 정말 말이 안 되는 일이야.'

"아... 그 저.."

나는 너무 당황해서 말조차 나오지 않았다.

"앗 감사합니다."

제호는 커플이냐는 질문을 자연스럽게 넘어갔다. 역시 전교 인기남답네. 우리는 떡볶이를 다 먹을 때까지 아무 말도 하지 않았다.

.

.

.

.

"오 이제 퍼레이드할 시간이다. 빨리 퍼레이드 보러 가자!"

"그래 흐흐 재미있겠다."

나와 제호는 콜팝을 먹으며 퍼레이드를 보러갔다.

"우와!"

예쁘게 화장한 사람들이 줄줄이 나와 춤을 췄다.

"진짜 멋있다."

제호는 퍼레이드에 푹 빠졌는지 콜팝을 먹던 손도 멈추고 퍼레이드를 보고 있었다. 사실 나는 별로 재미있진 않았다.

'그냥 사람들이 진하게 화장하고 빙글빙글 돌면서 춤추는 거 밖에 없네.'

기대 이하기는 했지만 그래도 저 사람들은 열심히 준비 했을거다.

놀이공원 마스코트들도 나와서 춤을 췄다. 솔직히 조금 귀엽기는 했다.

여전히 제호는 퍼레이드에 빠져있는 눈치였다.

'아까부터 계속 내가 맞춰주는 것 같은데?'

생각보다 많은 이동에 다리가 아팠지만, 제호는 오직 놀이기구뿐이다.

'그래도 제호랑 놀러 왔는데 좋은 생각 가지자! 내가 또 언제 최제호 같은 인기 많은 애랑 놀아보겠어.'

나는 좋게 생각하기로 마음먹었다. 솔직히 제호가 타자는 놀이기구 다 재미있었다.

'나보단 제호가 이곳을 더 잘 아니까 어쩔 수 없는 거야.'

여전히 퍼레이드는 지루했지만, 긍정적으로 생각하니까 퍼레이드도 재밌어 보였다. 제호는 아직도 퍼레이드에 집중하느라 콜팝을 다 먹지 못했다.

'저거 지금 안 먹으면 식을 텐데.'

제호는 내 시선도 보이지 않는 것 같다. 마치 나와 제호 사이에 벽이 있는 거처럼 말이다.

'그런데 생각해 보니 제호는 내가 왜 화장실에 갇혔는지 안 궁금한가?'

보통 누군가를 화장실에 가두는 것은 나쁜 행위이다. 그렇다면 제호 입장에선 나를 화장실에 가둔 이가 누군지는 모르겠지만 나를 화장실에 가둔 아이는 나쁜 짓을 했으니 그 나쁜 짓을 한 아이를 궁금해할 법도 하다.

'나였으면 궁금해서 물어볼 것 같은데.'

좀 이상한 것 같다.

'제호한테 물어볼까? 아니야 그러면 나만 이상한 취급 받을 거야. 그래도 해봐? 하아.'

모르는 문제는 물어봐야 답을 알 수 있다. 나는 결국 빙빙 돌려서라도 물어보기로 마음먹었다.

"저기 제호야."

"응?"

"너 혹시 최라희 어떻게 생각해?"

"라희? 아 너 가둔 거 때문에?"

"어? 뭐야 알고 있었어?"

제호는 이 모든 사실을 알고 있었다.

"그러면 왜 나한테 말 안 했어?"

"그야 네가 불편해 할까봐 그랬어. 사실 내가 선생님께도 말해봤는데 우리 학교 사장이 최라희 아버지라는 소문이 있잖아. 그래서 소용이 없더라고 나보고 증거 있냐고 증거가 없다고 안된다더라 다른 선생님께 말해도 소용없을 거야. 원래 우리 학교 선생님들이 다 이상해."

또 다른 세계

'강해연이 그렇게 최라희만 의존하고 따라다니면서 집착하는 이유가 있었어!'

"지.. 진짜??"

"그렇다네 우리 학교 너무 별로인 것 같아 하 전학 가고 싶다."

"아 그래서 우리 선생님도 매일 최라희는 모른 척했구나."

최라희의 수업 태도는 상당히 좋지 않다. 이건 좀 아니다라고 생각할 때도 항상 선생님은 최라희는 봐주고 넘어갔다.

"진짜 최라희도 참."

최라희는 매일 나를 괴롭힌다. 나뿐만 아니라 복도에서 어떤 아이의 돈을 뺏는 모습도 목격한 적도 있다.

"최라희에 관한 안 좋은 소문이 너무 많아."

왠지 최라희의 이야기를 계속했다가는 제호가 걱정할 거라는 생각이 들었다. 나는 자연스럽게 말을 돌리기로 마음먹었다.

"우리 이제 퍼레이드도 끝났으니까 이제 돌아갈까?"

"그래."

나와 제호는 길고 긴 데이트를 끝마치고 각자의 집으로 갔다.

'하아아 뭔가 빠진 것 같은데.'

집에 돌아왔는데도 마음이 편하지 않았다. 마치 무언가를 빠뜨린 것 같았다.

"아 맞다 약!"

제호에게서 내 약을 받는 걸 까먹었다. 사실 우리는 놀이공원에 가려고 만난 것이 아닌 약을 주고받으려고 만난 거였다. 나는 급하게 제호에게 전화하려고 했지만 내 휴대폰에는 제호 전화번호가 없었다.

'아 그래서 제호가 우리 집까지 뛰어온 거였구나. 하아 진짜 어떡하지 제호가 그 약이 탐났나? 그 약 말고는 집에 약은 아무것도 없는데 나도 삼악동에 찾아갈까?'

나는 제호를 어떻게든 부르고 싶다는 생각에 밖으로 나갔다. 그런데 제호가 우리 동네에 있었다!

"제.. 제호야."

"어 하나야 안녕 지금 별별 마을로 이사하는 중이야."

"별별 마을 갑자기 왜?"

"아.. 어 음 그게 우리 부모님이 사기를 당하셔서 빚이 좀 생기셨거든."

"그래도 이 한밤중에."

"어쩔 수 없이 지금 하게 되었네. 하하." 제호의 말로는 부모님께서 제호의 친척에게 사기를 당해서 이 한밤중에 우리 동네로 이사를 왔단다. 우리 앞집으로 말이다.

"아 근데 제호야 혹시 내 약은..?"

"아 지금 바로 줄게. 내가 깜빡해서 여기."

또 다른 세계

"어.. 고마워."

"흐흐 고맙기는 내가 더 고맙지."

"제호야 짐 나르는 것 좀 도와라."

"앗 네. 하나야 나 이제 이사 도와드리러 가야 할 것 같아 월요일에 학교에서 봐."

"어.. 응 안녕."

제호가 나랑 비슷한 상황이 되었어. 우리 집은 빚은 없지만 제호도 이제 나와 같은 마을에 살고 있고 집 사정이 좋지 않대.

나는 평범해서 인기도 없는데 가난하다.

'근데 제호는 상황이 안 좋아도 잘생겼고 착하니까 여전히 인기는 많겠지?'

이럴 때마다 비교가 되고 내가 못나 보인다.

'역시 모든 사람이 완벽한 건 아니었어.'

제호는 물론 가난해졌지만, 나는 제호를 싫어하지는 않을 거다. 나 말고 다른 아이들도 그렇게 생각할 것이다. 그러니 제호가 내 앞에서 좀 부족한 모습을 보였으니 이제 내가 자신을 싫어할 거라는 생각을 하지 않았으면 좋겠다. 물론 이렇게 생각하지 않았을 수도 있다. 제호는 나에게 관심이 많아 보이지는 않기 때문이다. 관심이 많다면 이런 생각을 할 법도 한데 관심이 없다면 싫어하든지 말든지 신경 쓰지 않을 것이다.

제호는 나에게 부족한 모습을 보여 주었다고 생각할 수도 있겠지만 나는 오히려 이런 모습의 제호가 더 좋다. 이 세상에 모든 게 완벽한 사람은 없으니까.

제 5장 진짜 김하나의 행방

  이제 진짜 나를 잊은 지도 오래다. 이제 내가 여기 온 지 8~9개월이란 시간이 지났다.

  '하아 진짜 김하나에게 물어볼 게 많은데.'

  오늘도 평범한 하루다.

  '인간의 모든 인생에 하루하루가 특별한 것은 아니었어.'

  학교 갔다가 집에 와서 쉬다가 씻고 자는 게 전부이다. 다른 애들은 학원도 다니던데 나는 안 다닌다. 오늘도 어제와 같은 하루였다. 나는 침대에 올라갔다. 오늘도 평소처럼 잠을 자기 위해 눈을 감았다. 하지만 오늘은 유독 잠이 오지 않았다.

또 다른 세계

'왜 이러지? 평소엔 잘 잤는데?'
자세를 바꿔보고 눈을 감으려던 순간!

나와 똑같이 생긴 누군가가 창문에 얼굴을 대고 서 있었다! 나는 그 아이와 눈이 마주쳤다. 아무리 눈을 비벼봐도 그 인간은 사라지지 않았다.

얼굴은 그냥 하나의 오차 없이 나와 똑같았다. 하나 다른 점은 입 옆에 점이 있다는 거였다.

'도플갱어는 아니네.'

"들어가도 돼?"

"아니 당신 누구예요? 갑자기 이 늦은 시간에 찾아오고."

"나? 나 김하난데"

"네..? 네 기.. 김하나요 들어오세요."

김하나라니 눈에 초점도 없고 목소리에 힘도 없었다.

"할머니가 놓고 간 돈 벌써 좀 썼네"

진짜 김하나는 돈 봉투를 보며 말했다.

"아 그건 제호랑 노느라 조금 아주 조금 쓴 거예요."

"말 편하게 해 어차피 우리 똑같은 사람인데."

"아 응."

'그래도 초면인데 반말은 좀.'

"뭐 악마 세계에도 존댓말 문화가 있나 봐?"

"그.. 그건 어떻게.."

"그걸 어떻게 모르냐 하루 종일 너만 따라다녔는데."

"나는 못 봤는데."

나는 진짜 김하나를 보려고 찾아다녔는데 막상 진짜 김하나
는 나를 따라다녔단다. 좀 어이가 없었다.

"당연히 안 보이지. 난 이제 없는 몸이야 투명 인간이라고.
아 맞다. 너 화장실에 갇혔더라. 최라희 때문에 그리고 너 제
호랑 데이트했지?"

진짜 김하나가 물었다.

"마침 물어볼게 있었어 너."

"야 내가 먼저 물어보자."

진짜 김하나는 내 말을 끊으며 말했다.

"왜 너가 내 몸에 있냐?"

"그거는 악마 세계가 너무 끔찍해서 가장 존재감 없는 인간
으로 1년을 버티면 인간이 될 수 있다고 들어서 너의 영혼을
뺏어 버렸어."

"와 내가 살다 살다 악마한테 영혼을 다 뺏겨보네. 어쨌든
너 다시 원래 너가 있던 곳으로 돌아가. 난 내 몸으로 살 거
니까."

어이가 없었다. 물론 진짜 김하나 했을 것이다. 갑자기 자신
과 똑같이 생긴 누군가가 자신의 삶을 살고 있었으니까.

"어떻게 돌아가냐, 가더라도 염라대왕한테 죽는데 너 같으면
어떻게 가냐?"

"아무튼 그건 그렇고 너가 하려던 말이 뭔데?"

또 다른 세계

'하 지가 먼저 이야기 꺼냈으면서 갑자기 말 돌리네.'

"너 제호 좋아하지?"

"그래서 온 거야 내 인생 내가 살아야지 원래 나 제호랑 썸 타고 있었는데 최라희가 막아서 실패한 거거든 그래서 제호도 아직 나 좋아하니까 넌 그냥 돌아가. 아 그리고 나 원래 최라 희랑 강해연이랑 삼총사였거든 근데 최라희가 갑자기 흑화해 서 강해연이랑 팀 먹고 나 괴롭히는데 어쩌라고 나도 처음에 는 너가 내 영혼 뺏었을 때 어차피 망한 인생 뺏겨봤자지 라 고 생각했는데 제호도 그렇고 이렇게 사는 게 더 싫어서 그리 고 하늘에 계신 할머니를 위해서라도 아르바이트하고 열심히 공부해야지. 그러니까 너 어떻게든 다시 악마 세계로 돌아가. 빨리 그러다 진짜 너가 내 영혼 가지겠다."

"부모님은 왜 이혼하셨는데?"

"우리 아빠가 도박해서 돈 다 털림. 다행히 엄마가 모아 놓 은 돈이 있어서 빚이 안 생긴 거야. 원래 엄마랑 살려고 했는 데 엄마가 아빠랑 이혼한 그날 바로 교통사고가 나서서 할머 니랑 살게 된 거지. 야! 너희 악마들 관리 좀 잘해라 맨날 나 만 괴롭혀 나만 아휴 강해연이나 괴롭혀라!"

강해연은 최라희의 오른팔이다. 그러니 최라희가 대장이라고 볼 수도 있는 것이다.

"넌 강해연이 더 싫어? 나는 강해연보면 좀 불쌍하던데 맨

날 최라희한테 이끌려 사는 거잖아."

"아 어차피 최라희는…… 아니다. 이건 내가 할 말이 아닌 것 같다 난 이제 간다. 궁금한 거 있으면 언제든 불러. 난 네가 내 영혼을 빼앗은 순간부터 시간이 남아돌기 시작했어. 그러니까 어떻게든 다시 악마 세계로 돌아가 알겠지? 지금 시간도 늦었는데 잠이나 자라."

"어어 잘 가."

'진짜 이상한 아이네 자기가 찾아와서 잠을 못 잔 건데 휴 어떻게 다시 악마 세계로 돌아가는데 나는 존재감 없는 아이를 찾아다녔을 뿐인데.'

내 목숨을 걸고 악마 세계로 돌아가야 하나? 아니면 그냥 진짜 김하나를 무시하고 내가 김하나가 돼야 하나? 너무 고민 됐다.

솔직히 나는 내 잘못은 없다고 생각한다. 진짜 김하나가 존재감이 없었기 때문에 오히려 존재감이 없었던 진짜 김하나가 더 잘못이라고 할 수 있다. 사실 나는 내가 다시 악마 세계로 돌아가는 방법도 모른다. 어차피 동네방네 내가 악마라고 소문 내고 다녀도 믿어주는 사람이 있기라도 하나. 어차피 아무도 안 믿어서 정체도 못 밝히는데 해 봤자 소용없다.

'진짜 그냥 다시 악마 세계로 돌아가라고만 말하면 어떡하는데 방법을 알려줘야지. 방법을 아휴.'

아직도 진짜 김하나가 머리 속에서 잊히지 않았다. 얼굴엔 다크써클이 턱까지 내려와 있었고 몸은 심각한 저체중이었다. 왠지 할머니가 돌아가시고 학교에서 괴롭힘을 당했을 때부터 입맛이 뚝 떨어진 것 같았다. 그리고 또 머리는 얼마나 산발이던지. 진짜 귀신인 줄 알았다. 나와 똑같이 생겼는데 분위기가 달랐다.

"그럼, 지금까지 진짜 김하나는 영혼이 없는 투명 인간으로 나를 따라왔던 거야!"

내 생각은 한 치의 오차도 없이 맞았다. 나는 김하나는 이 세계에 남아 있지만 내가 진짜 인간이 되었을 때 인간 세계에 남아 있던 김하나는 사라지게 된다고 생각했다. 역시 내 예상을 틀리지 않았다.

'그런데 진짜 김하나가 마지막에 한 말은 뭐지? 어차피 최라희는 뭘까?'

너무 궁금해서 잠이 오질 않았다.

'아 그냥 한 번만 더 부를까? 아니야 이건 너무 민폐잖아. 아... 그래도 진짜 궁금한데 도대체 최라희가 뭐길래.'

아무래도 내일부터 최라희에 대한 조사를 들어가야겠다.

다음날이 왔다. 나는 아침 일찍 일어나 씻고 학교에 갔다. 제호는 아직 학교에 등교하지 않았다. 왠지 걱정되기 시작했다.

"야 김하나 너 제호 좋아하지?"

최라희랑 강해연이 나에게 또 다가왔다.

"어?"

"왜 제호랑 데이트도 했더만 근데 너 이제 제호 안 좋아하게 될 걸? 제호네 아버지 빚 생겨서 별별 마을로 이사갔대"

"하 그게 왜?"

나는 어이가 없었다.

"왜? 너 제호 돈 많아서 좋아하는 거 아니었어? 하하하하 너 거지잖아."

"야 넌 무슨"

말을 덧붙이려고 했지만, 그 둘은 가 버렸다. 진짜 저런 애들을 나쁘다고 표현하는 것 같다. 걔네처럼 사람을 얼굴과 돈으로만 판단하는 아이들 말이다. 선생님께 일러봤자 다 최라희 편인데 선생님께 말할 수도 없고 신고할 수도 없고 진짜 어떻게 해야 할지 모르겠다.

'진짜 김하나는 어떻게 버텼을까? 진짜 대단하다.'

오늘 밤에 꼭 진짜 김하나를 불러야겠어! 아직 물어볼 것이 태산 같다.

또 다른 세계

‘저번에 하려던 말은 대체 무엇이었을까?’

참 진짜 김하나도 사람 기다리게 한다. 깅해연, 최라희 내가 꼭 조사할 거다. 그리고 복수 할 거다.

밤이 찾아왔다.

‘근데 진짜 김하나는 어떻게 부르지?’

"왜?"

"오 이 목소리는 김하나 목소리인데."

"왜 불렀냐고."

"어으!! 깜짝이야! 어떻게 들어왔냐?" "내가 우리 집도 못 들어오냐? 여기 우리 집인데 영혼만 뺏으면 다냐? 영혼을 아무리 뺏겨도 진짜 김하나는 나야 너는 가짜고."

"아 알았어, 야 근데 너 제호 돈 많아서 좋아하는 거야?"

나는 진심으로 물었다.

"누가 그래? 또 최라희가 그래? 최라희답다. 야 그건 최라희지 설마 내가 그러겠냐? 그리고 최라희는 제호 잘생기고 돈 많아서 좋아하잖아."

"너 그거 모르는구나 제호 아버지가..."

"나도 알거든 제호네 빚 생긴 거 그래서 넌 제호 싫어? 아니잖아. 하여튼 최라희는 제호에 환장을 해요 쯧쯧쯧."

"야 근데 너 저번에 하려던 말 뭐냐? 막 최라희는 어쩌구 했었잖아."

"아 몰라도 된다니까! 아 갑자기 머리 아프네. 나 간다."

"야! 야!!"

'아 진짜 쟤 말 안 해줄거면 처음부터 이야기를 꺼내질 말던가 진짜 궁금하게.'

또 다른 세계

제 **6장** 최라희의 정체

"허억허억."

나는 학교까지 달려갔다. 하마터면 지각할 뻔했기 때문이다.

'아 진짜 김하나 때문에 내가 요즘 잠을 못 자.'

오늘도 제호는 학교에 나오지 않았다.

'혹시 돈 들도 튄 친척 찾으러 갔나?'

그런데 제호의 짝꿍인 최라희도 학교에 오지 않았다.

'뭐지? 왜 최라희가 학교에 안 왔지? 항상 등교는 하던 애인데 혹시 제호가 안 와서 최라희도 안 온 건가?'

강해연은 최라희 없으면 누구랑 놀까 내심 궁금하기도 했었다. 강해연이 아무리 최라희의 오른팔이어도 최라희만 따라다니진 않을 거니까 말이다. 오늘 최라희가 없으니까, 기분이 좋다. 어차피 강해연은 최라희 없으면 나 안 괴롭히니까.

'제호가 없긴 하지만 이런 날이 어디 있겠냐? 최라희 눈치 안 봐도 되니까 좋았다.'

그런데 갑자기 강해연이 나에게 다가오기 시작했다.

"야 김하나 너 나 좀 봐."

강해연이었다. 강해연은 나한테 단도직입적으로 말을 건 적은 없다.

'엥? 갑자기? 나를 왜 부르는 거지?'

나는 강해연이 최라희와 같이 있었다면 안 갔을 것이지만 갑자기 강해연이 진지하게 불렀다는 것은 뭔가 중요한 이야기를 하려는 것 같아서 강해연의 말을 들을 수밖에 없었다.

"네가 모르는 것 같아서 말하는 건데 최라희...... 하아 이걸 말해야 하나."

"왜? 뭐길래."

"믿거나 말거나인데 최라희... 악마야. 뭐 악마 세계에서 인간의 영혼을 뺏어서 인간 세계로 내려와서 1년을 버티면 인간이 될 수 있다는데 걔가 인간 세계에서 최라희란 아이의 영혼을 뺏고 최라희의 몸에서 1년을 버텨서 지금 걔가 인간이 된 거야 나도 처음엔 안 믿었는데 계속 같이 다닐수록 믿게 되더라고 그러니까 최라희한테 많이 대들면 너 진짜 죽을 수도 있어. 그러니까 조심해라 분명 난 당부했다."

"뭐?!"

충격적이었다.

'최라희가 악마라니 어쩐지 지금까지 최라희 웃을 때만 보면 머리가 아팠구나! 그리고 진짜 김하나! 진짜 김하나가 하려던 말이 이거였을지도 몰라.'

악마 세계에선 악마들끼리는 저주를 내릴 수 없다. 물론 나처럼 모습은 인간 모습이지만 악마인 존재와 최라희처럼 자신의 존재를 바꾼 사람에게도 저주를 내리지 못한다. 결국 진짜 김하나가 하려던 말은 어차피 최라희는 악마여서 괴롭히지 못한다고 말하려던 것이다.

'근데 최라희가 악마라고? 믿기지 않아'

최라희의 몸에 들어간 악마는 최라희의 몸에서 1년을 버텼고 그래서 진짜 최라희는 없어진 것이고 이제는 최라희의 몸에 들어간 악마가 최라희가 죽을 때까지 그 몸에서 살 수 있는 것이다.

갑자기 머릿속에 무언가가 스쳐 지나갔다.

또 다른 세계

"야 악마 세계에서 인간 세계로 가는 방법이 있대. 그게 뭐냐면 가장 존재감 없는 인간의 영혼을 뺏어서 그 아이의 몸으로 1년을 버티면 인간이 될 수 있대."

"진짜?"

"근데 인간 세계로 가는 방법을 도전해 본 악마는 많아도

성공한 악마는 단 한 명밖에 없대."

내가 악마 세계에 있었을 때 들은 말이다. 우리 옆집에서 들려왔던 소리에 따르면 악마 세계에서 인간 세계로 오는 방법을 도전해 본 악마는 있어도 완전한 인간이 되는 데 성공한 악마는 단 한 명뿐이랬다.

'그럼 혹시 이 방법으로 진짜 인간이 된 악마가 바로 최라희?!'

이제야 우리 담임 선생님, 다른 반 선생님들, 제호 그리고 강해연까지 모든 사람이 이해가 갔다. 왜 최라희를 그렇게 봐주고 최라희를 띄워 주는지 이제야 알겠다.

최라희가 인간이 되었긴 하지만 아직 악마의 본심이 남아 있을 것이다. 악마들은 부정적인 감정밖에 느끼지 못한다. 생각해 보니 최라희가 행복해 보인 적이 없는 것 같다. 남을 괴롭힐 때 웃는 걸 본 적은 있지만 그 소름 돋는 웃음을 지을

때 전혀 행복해 보이지 않았다.

최라희는 이와 같은 악마의 본심이 아직 남아 있던 것이다. 이로인해 최라희는 우리 학교 선생님들과 학생들한테 모두 협박했을 것이고 최라희는 힘이 세기 때문에 삼악 중학교 아이들은 최라희한테 아무 말도 할 수 없었던 것이다.

'그럼, 그 진짜 최라희는 없어진 건가? 최라희 몸속에 들어간 악마가 완전히 최라희의 영혼을 뺏은 거야?!'

지금 머릿속에서 생각나는 사람은 단 한명. 강해연. 어떻게 보면 나쁘지만, 또 어떻게 보면 그럴 수도 있겠다는 생각이 든다.

'강해연은 나에게 소름 돋는 말로 상처와 화를 주었어. 하지만 원래 하려던 말은 그게 아니었을 수도 있어.'

나는 강해연이 여전히 싫다. 아무리 최라희 때문에 나를 괴롭혔어도 괴롭힌 건 괴롭힌 거니까. 나는 강해연이 너무 밉고 싫다. 하지만 강해연도 어쩔 수 없었을 것이다. 어쩌면 최라희에게 죽을 수도 있으니 나를 괴롭히긴 해야 하고 하지만 괴롭힌 건 못하겠고 그런데 그렇다고 아무 말 없이 서 있으면 최라희한테 혼나고 정말 난감했을 거다. 그래서 강해연은 항상 최라희의 오른팔로 살면서 나를 괴롭혔던 것이다.

'이런 강해연의 행동이 맞는 행동인걸까? 최라희한테 죽을 각오를 해서라도 친구를 선택해야 하는 것이 아닌가? 나였으

또 다른 세계

면 무엇을 선택할까?'

강해연이 나를 선택해서 나를 괴롭히지 않았다면 진짜 김하나가 강해연을 싫어하지 않았을 것이다. 하지만 강해연은 자신의 목숨을 택하였다. 나였어도 내 목숨을 택할 것 같기도 하다. 친구를 지켜주고 내가 죽는 것 보단 아무도 안 죽는 게 더 낫다. 그래도 강해연은 좀 심한 것 같다. 한 번도 나에게 미안해 보이는 눈치를 준 적이 없다.

어쩌면 강해연도 타인을 괴롭히는 것을 즐겼을 수도 있다.

애초에 최라희가 악마란 걸 알려줄 때

"내가 지금까지 널 괴롭혀서 미안해 나도 어쩔 수가 없었어."

라고만 말해도 봐주었을 텐데 이 말 하나가 그렇게 어렵다고 안 하는 건 아닐 테다. 그러니 강해연도 악마랑 같이 다니면서 점점 나빠진 것 같다. 어쩌면 강해연은 최라희보다 더 나쁠 수도 있다. 나는 사실 이 전까지는 강해연이 불쌍하기만 했다. 물론 그때도 강해연이 너무너무 싫었지만, 최라희 옆에 졸졸 따라다니는 게 좀 불쌍했다. 그런데 지금은 아니다.

'강해연, 생각보다 독한 아이야.'

난 이제 강해연이 전혀 불쌍하지 않다. 결국 강해연도 최라희에게 물 든 것 같다. 어떻게 보면 강해연이 더 악마 같다. 나쁜 것도 전염된다더니 그게 사실이었다. 강해연이 나에게 조용히 악마 같은 말을 할 때마다 알아차렸어야 했다. 난 그것도 모르고 강해연에게 불쌍하다고만 생각했다. 강해연의 실체는 생각보다 더 독하고 나쁜 아이였다. 아무래도 오늘 밤에 이 아이를 꼭 만나야겠어.

또 다른 세계

그날 밤이 왔다. 나는 진짜 김하나를 떠올렸다.

'항상 머릿속에서 진짜 김하나를 떠올리면 알아서 나타나던데 오늘은 좀 늦네.'

나는 아직도 진짜 김하나에게 물어볼 것이 한 바가지이다. 맨날 진짜 김하나는 자기 억울한 이야기만 하다 가기 때문이다.

"어이 늦어서 미안. 내가 좀 찾아볼 게 있어서."

"잉? 찾아볼 게 뭔데?"

사실 진짜 김하나가 찾아볼 거는 나랑 관련이 없다. 하지만 왠지 모르게 궁금해졌다.

"아 그 인간 세계에서 악마 세계로 넘어가는 방법 말이야. 야 악마 세계 왜 이렇게 복잡하냐?! 아휴 진짜 이런 영혼 없는 생활 못 하겠다. 야 애초에 너희 악마 세계 정부에서 너처럼 인간 세계로 도망치는 거 좀 막아야 하는 거 아니냐?"

진짜 김하나 보면 볼수록 좀 황당한 아이이다.

"정부가 있고 법이 있었으면 내가 이렇게 도망을 쳤겠냐?

정부도 없고 법도 없고 그냥 염라대왕밖에 없는데 그러니까 내가 도망쳤지."

"야 너 근데 나 왜 불렀냐? 그냥 아무 이유 없이 부른 건 아닐 거 아니야."

항상 진짜 김하나를 만날 때마다 내가 하려던 말은 제대로 하지도 못한다. 그런데 오늘은 그러지 않을 것이다. 최라희가 악마였다니 아직도 믿기지 않는다. 진짜 김하나도 이 사실을 알고 있는지 궁금했다.

"야 너 그거 알아? 최라희 악마인 거."

사실 진짜 김하나도 알고 있을 것이다. 하지만 더 증명해 보고 싶었다.

"너도 결국 알아냈구나. 그거 강해연이 알려줬지? 나도 강해연이 알려줬다. 사실 나 너한테 영혼 뺏기기 전까지 안 믿었거든? 근데 내가 영혼을 뺏기고 나서 내 영혼을 가지고 있는 너를 보니까 혹시나 나도 악마에게 영혼이 뺏긴 게 아닌가 하는 생각이 들어서 사실 내가 너를 찾아온 이유도 그게 때문이었는데"

역시나 알고 있었다. 최라희가 악마라는 사실을 말이다.

인간들 중 악마 세계를 믿는 인간은 드물다. 최라희가 처음 악마라고 했을 때도 진짜 김하나와 강해연 둘 다 최라희를 믿지 않았고 악마라는 개념도 믿지 않았다고 한다.

하지만 강해연은 점점 시간이 갈수록 최라희를 믿게 되었고 최라희에게 죽지 않기 위해 진짜 김하나를 버리고 최라희 편을 들었고 그래서 삼총사는 해체되고 김하나는 따돌림과 괴롭힘을 받게 되었다고 한다. 하지만 그럼에도 불구하고 진짜 김하나는 끝까지 최라희의 말을 믿지 않았다고 한다.

또 다른 세계

인간 세계에서 악마를 믿는 사람은 드물다.

'그래 악마라는 개념을 믿는 인간이 어디 있냐?'

"그럼 넌 최라희의 정체를 알고 있었음에도 나한테 말도 안 한 거네?"

"그건 내가 할 얘기는 아닌 것 같아서 너가 스스로 알아차리기를 바랐어. 난 네가 악마여서 쉽게 알아차릴 줄 알았는데 너 생각보다 눈치가 많이 없구나. 결국 강해연이 말 해줘서 알았네! 누가 인간 9개월 차 아니랄까 봐. 인간 다 되었어! 아주."

"난 강해연이 그렇게 까지 나쁜 애인 줄은 몰랐어. 최라희 강요해서 어쩔 수 없이 괴롭히는 것도 아니고 그냥 배신 때린 거였어. 난 사실 이 전까진 강해연 좀 불쌍했거든 솔직히 누군가의 오른팔로 산다는 게 쉬운 일은 아니잖아. 그런데 이 일 이후로 생각이 완전히 바뀌었어. 아무래도 내 생각에는 강해연도 최라희랑 같이 다니면서 악마처럼 물든 거 같아."

진짜 김하나도 나와 같은 생각인 듯이 고개를 끄덕였다.

"야 근데 나 한 가지 할 말이 있는데 너 무조건 1년 지나기 전에 다시 악마 세계로 돌아가. 나 안 그러면 이 세상에서 없어지는 거 너도 알지? 그리고 혹시나 너도 최라희처럼 그렇게 나빠지면 어쩔 거야? 난 내가 나쁜 시선 받는 거 싫어. 너를 믿고 싶어도 못 믿겠어. 너는 착한 악마일 수도 있지만 아빠

도박 사건, 강해연 배신 사건, 무리 중 따돌림 사건 이후로는 사람을 잘 안 믿게 되더라고 아니 못 믿게 되었어. 그리고 하늘에 계신 우리 할머니도 내가 이러고 다니는 거 싫어하실 거야 나도 요즘 너 악마 세계로 보내는 방법 열심히 연구하고 있거든. 그러니까 너도 좀 노력 좀 해봐 아무리 인간 세계가 좋아도 말이야 나 이제 가야 하거든 그리고 너도 내일 학교 가야 하잖아. 또 저번처럼 늦지 말고 나 간다."

"어어... 잠깐만 야!!"

또 가버렸다. 지금까지 연구한 내가 악마 세계로 돌아가는 방법이 궁금했는데 안타깝다.

'그래 방법을 찾으면 나에게 먼저 와서 말해주겠지. 그냥 잠이나 자자.'

나는 오늘도 내일 학교에 가기 위한 잠에 들기 위해 노력했다. 하지만 도저히 잠이 오질 않았다. 아무래도 진짜 김하나 때문이다. 아직 궁금한 게 수천 가지인데 진짜 김하나는 제대로 답변을 해준 적이 없다. 그리고 항상 자기 이야기만 하다가 갑자기 가야 한다고 사라져 버린다.

'진짜 김하나는 최라희와 강해연에게 버림당했을 때 기분이 어땠을까? 진짜 김하나가 생각하는 제호는 무슨 이미지일까? 진짜 김하나의 할머니는 어떤 사람이셨을까?'

아직도 궁금한 게 이렇게나 많은데 진짜 김하나는 제대로 답해주지도 않고 진짜 너무한다.

'잠깐만 방금 잊어버린 무언가가 다시 머릿속으로 돌아온 것 같은데? 아 맞다!! 최제호!'

갑자기 제호가 생각났다. 제호는 아버지에게 빚이 생기고 내가 지금 사는 곳인 별별 마을로 오게 되었다. 생각해 보니 제호가 별별 마을로 이사 온 이후로 얼굴을 본 적이 없다.

'제호는 항상 부자였던 아이니까 갑자기 이렇게 빚이 생기니 좀 많이 힘든가?'

보통 인간들은 엄청난 부자도 아니고 엄청난 거지도 아닌 평범한 삶을 산다. 물론 그러지 않는 집안도 있을 것이다. 하지만 제호는 평소에 돈이 많기로 유명하다. 항상 돈이 많던 제호가 갑자기 빚이 생기니 많이 힘들었나보다. 항상 편한 일만 하다가 불편한 일을 하면 많이 힘든 거처럼 제호의 지금 심정은 아마 그럴 것이다.

'아무리 힘들어도 학교는 나와주지.'

내심 이런 마음이 들었지만 바로 꿀꺽 삼켰다. 제호가 안 나오고 싶으면 안 나오는 거니까 말이다. 그리고 혹시 모른다. 제호가 안 오는 이유가 집안 사정 때문이 아닐지도. 그래도 제호가 학교에 오면 꼭 최라희의 정체에 관해 물어볼 것이다.

"휴 오늘은 꼭 제호가 왔으면 좋겠다."

빨리 제호가 왔으면 좋겠다. 오늘은 꼭 최라희에 관해 물어보고 싶다. 나는 교실에 제호가 있기를 바라며 조심히 교실 문을 열었다. 오늘은 드디어 제호가 학교에 왔다!

"제호야 안녕? 오랜만이네! 히히 혹시 학교 끝나고 잠깐 시간 내어줄 수 있어?"

항상 제호가 먼저 나를 반겨주었고 항상 제호가 먼저 물어봐 주었고 항상 제호가 먼저 손을 흔들어 주었다. 그래서 나는 항상 제호에게 고마웠고 내 마음 표현을 잘하지 못해서 미안했다. 그래서 나는 용기를 내어 먼저 인사를 건넸다.

"엉 그래."

오랜만에 본 제호 얼굴은 더욱더 밝아 보였다.

'제호는 아무리 힘든 일이 닥쳐도 항상 밝구나.'

나는 제호를 보며 생각했다. 제호의 얼굴은 삼악 아파트에 살 때 보다 더 밝아 보였다. 나는 힘든 일이 닥치면 항상 부정만 했는데 내가 너무 비교되었다. 그리고 나도 제호처럼 무슨 일이 닥쳐도 밝아지고 싶다는 생각이 들었다. 나는 지금부터 수업이 끝날 때까지 수업에 집중하지 못했다.

'어떻게 하면 제호처럼 밝아질 수 있을까?'

나는 고민을 계속하고 또 하고 또 했다. 그래서 나온 답변은 나를 믿고 '나에게 자신감을 가지자' 였다. 무슨 일이 닥치더라도 나를 믿고 나에게 자신감을 가지면 "나는 할 수 있어! 나는 짱이야! 난 최고니까 이런 것도 잘해!"라는 말이 저절로 나오게 되고 이런 말을 많이 하게 된다면 실패하더라도 좌절하지 않고 "괜찮아. 나는 최선을 다해서 후회는 없어."라는 말을 하게 될 거다.

이제 수업이 끝났다. 제호가 나에게 다가왔다.

"하나야 할 말 뭐야?"

"우선 여기는 최라희가 있으니까 학교 뒷 놀이터로 가서 얘기하자." 그렇게 우리는 학교 정문을 빠져나와 뒤쪽 놀이터로 갔다.

"제호야 혹시 너도 그거 알아?"

"응? 뭔데?"

"최라희...."

갑자기 이런 생각이 들었다.

'근데 이거 말해도 되나?'

생각해 보니 이 일은 알려주면 안 되는 일 같았다. 만약 내가 제호에게 이 이야기를 했다는 사실을 알면 날 가만두지 않을 것이기 때문이다.

"혹시 최라희가 악마인 거 말하는 거야?"

"허업! 네가 이걸 어떻게 알아?"

"적어도 우리 학년 애들을 다 알지 않나? 못 믿는 애들이 많을 뿐이지. 너도 안 믿는 것 같아서 일부러 말 안 했는데 나도 처음엔 그냥 최라희가 미쳐 보였는데 언젠가부터 믿음이 가더라고."

제호는 이 사실을 이미 알고 있었다. 이걸 나만 몰랐다니 굉장히 놀랍다.

"너도 알고 있었구나."

"그래서 선생님들도 다 최라희에게만 잘해주잖아."

사실 최라희의 행동은 좀 이해가 안 간다. 인간의 몸에서 1년을 버텨 정식 인간이 되었으면 그냥 조용히 인간이었던 척 학교생활 하면 될 것이자 왜 굳이 자신이 악마라고 떠벌리고 다니는 거 말이다.

"원래 최라희랑 강해연 인기 진짜 많았는데 강해연도 최라희한테 물들면서 너무 질이 나빠졌어. 그치?"

"나도 그렇게 생각해. 내가 최라희나 강해연 얼굴이었으면 착하고 자신감 있게 살 텐데."

최라희와 강해연은 전교에서 예쁘다고 소문난 아이들이었다. 하지만 항상 나쁜 짓만 하는 게 좀 불쌍해 보인 적이 많다.

"난 사실 최라희랑 강해연 왜 이렇게 인기가 많은지 모르겠어."

제호가 말했다.

"최라희랑 강해연이 착하다면 예뻐 보일 텐데 하도 질이 나쁘니까 나도 별로 흐흐."

"맞아. 나 이제 학원 갈 시간이어서 가봐야 할 것 같아"

"응 그래 잘 가. 내일 만나자."

"어어 안녕!!"

제호도 알고 있었다. 최라희가 악마인걸. 이 사실을 나만 몰랐다니.

다시 한번 진짜 김하나에게 배신감이 들었다.

또 다른 세계

제 **7장** 공포의 숨바꼭질

"아 이제 자야겠다." 나는 잠을 청하기 위해 침대로 향했다. 그런데 갑자기.

"야!"

진짜 김하나였다. 너무 갑자기 찾아오는 바람에 깜짝 놀라고 말았다.

"아 깜짝 놀랐잖아! 이 밤 중에 무슨 일이야."

"내가 완전 초대박 정보를 가져왔어."

"그게 뭔데?"

초대박 정보라니 벌써부터 궁금했다.

"그게 뭐냐면 바로 네가 다시 악마 세계로 돌아갈 수 있는 방법!"

"다시 악마 세계로 갈 수 있는 방법?!"

놀라웠다. 내가 다시 악마 세계로 갈 수 있는 방법이라니 말이다. 분명 내가 다시 악마 세계로 갈 수 방법은 영혼이 100% 인간인 존재에게 들키는 방법밖에 없는데 말이다.

"바로 최라희에게 조건을 걸고 부탁하는 것!"

"어?"

"최라희의 영혼은 100% 인간이 아니잖아. 그래서 최라희한테 네가 악마라는 사실을 밝힌 뒤, 너를 이길 테니 나를 다시 악마 세계로 돌려보내 달라고 해. 아 그리고 너가 이기면 다시는 김하나를 괴롭히지 않으며, 우리 학교 독재자 역할도 그만하라는 말도 꼭 하고."

생각보다 어려운 일이었다.

"야! 너 같으면 이렇게 어려운 일을 할 수 있겠냐? 그리고 만약에 최라희한테 내 정체를 말했을 때 최라희가 누군가에게 내가 악마라는 사실을 말하게 된다면 그땐 어쩔 건데."

최라희가 강해연에게 내가 악마라는 사실을 말하면 인간으로서의 나도 끝이지만 악마로서의 나도 끝이 된다.

"야 악마들이 그렇게 쉽게 인간의 영혼을 뺏으면 영혼이 뺏긴 진짜 인간은 얼마나 억울하겠니? 너 시간 얼마 안 남은 거 알지? 지금 한 달 남았어. 내가 하루하루가 얼마나 초조한지는 아니? 그러니까 제발 내 부탁 좀 들어줘. 내 부탁을 들어준다면 언젠간 꼭 갚을게. 그럼 나 이제 간다. 파이팅."

진짜 김하나는 오늘도 자기 할 말만 잔뜩 하고 가버렸다.

'내가 지금 곧 이 세상에 없어질 진짜 김하나 때문에 최라희에게 부탁해야 한다고?!'

정말 어처구니가 없었다.

'그럼 내가 만약 최라희를 이기면 다시 악마 세계로 돌아갈 수 있다는 건데 최라희가 초능력이 있는 것도 아니고 어떻게 악마 세계로 보낸다는 거지?'

아직도 전혀 이해가 가지 않았다.

'그리고 만약 내가 최라희와 하는 배틀에서 지면 나는 어떻게 되는 거지?'

애초에 무슨 배틀을 할지도 모르는 데 그 배틀에서 어떻게 이기고 어떻게 다시 악마 세계로 가는 건지 모르겠다. 그리고 최라희가 이런 나의 제안을 무시하고 다른 아이들에게 퍼뜨리면 어떡할지도 모르겠다. 아직 아무것도 모르는 상태에서 이걸 최라희에게 어떻게 말할 수가 있나.

'그냥 진짜 김하나는 무시하고 1개월만 더 버텨서 진짜 인간이 될까?'

그런데 이러기에도 좀 미안했다. 진짜 김하나는 하늘에 계신 할머니가 있다. 저번에 진짜 김하나가 말했다. 하늘에 계신 할머니가 나에게 내 영혼이 없다는 걸 안다면 속상해하실 거라고 말이다. 그래서 일단은 다시 진짜 김하나가 영혼을 되찾았으면 좋겠지만 그렇다고 내가 죽기는 또 싫다. 지금 아무래도 어떻게 해야 할지 모르겠는 난감한 상황이다. 지금은 자고 내일 생각해야겠다.

다음날 나는 학교에 가는 와중에도 계속 어제 일만 생각났다. 아직도 내가 최라희에게 부탁해야 할지 아니면 그냥 하지 말지 고민이다.

드르륵. 교실 문을 열었다.

"악! 깜짝이야!"

문을 열자마자 최라희의 크고 매서운 눈이 나를 째려보고 있었다.

"야 김하나 너 나한테 할 말 있지 않아?"

최라희가 목소리를 깔고 아무도 없는 교실에서 소름 돋는 말을 건넸다.

"어?! 내.. 내가 할 말이라니?"

"어떡하지? 난 이미 네가 할 말을 다 알고 있는데 학캌카햐 하하하."

최라희는 평소보다 더 소름 돋게 웃으며 말했다.

"뭐 배틀? 조건? 조건이 뭔데 말해봐."

최라희가 물었다.

"괜찮아 난 너를 처음 봤을 때부터 너가 악마라는 사실을 알고 있었지. 하하하하하."

최라희가 나의 정체를 알고 있었단다.

"그건 어떻게 알았는데?"

"하나야. 아니 악마 하나야 사람마다 풍기는 아우라와 포스가 얼마나 다른데 그리고 너에게는 진짜 하나의 점이 없잖아. 안 그래?"

어쩐지 내가 거의 처음 학교에 갔을 때 최라희가 계속 내 점을 뚫어져라 쳐다보기는 했다. 그리고 사람마다 풍기는 아우라와 포스는 또 뭔지 모르겠다.

"난 네가 무슨 말을 하려는지 다 알아. 그거 알아? 나 곧 악마 세계에서 염라대왕이 될 몸이거든. 그래서 인간 세계에서 사람들에게 불행을 주려고 어쩔 수 없이 최라희의 영혼을 뺏은 거야. 이제 알겠어? 내 진짜 정체를?"

최라희이 모습은 항상 소름 끼쳤지만, 오늘은 유독 더 소름 끼쳤다.

"마침 그걸 말하러 왔어. 대결을 신청한다. 최라희. 종목은 뭐든지 상관없어. 조건은 나를 다시 악마 세계로 돌려보내 줘야 해. 그리고 다시는 김하나를 괴롭히지 않으며 학교의 독재자 역할을 하지 않는다고 선서해야 해. 내 조건은 이미 알고 있었겠지만."

사실 나는 이런 최라희의 본모습에 너무 무서웠지만 용기 내어 말했다.

"그래 좋아. 그런데 과연 네가 나를 이길 수 있을까? 특별히 나와의 대결에 대해 걸 고민할 시간을 줄게. 흐흐흐"

싸악.

교실이 환해졌다. 아까와는 다른 교실 분위기였다. 다른 아이들은 각자 자신의 책상에 앉아 독서하고 있었다. 최라희도 아무 일도 없었던 척 자리에 앉아 있었다. 하지만 1분단 2번째 줄 맨 뒷자리가 비어있었다.

'어? 저 자리는?'

또 다른 세계

생각해 보니 저 자리는 항상 비어있었다. 내가 처음 학교에 왔을 때도, 최라희가 학교에 오지 않았을 때도 저 자리는 항상 비어있었다. 그런데 그 옆자리도 비어있었다. 그 옆자리의 주인은 바로.

"강해연"

강해연이었다. 1분단 2번째 줄 맨 뒷자리도 비어 있었지만, 그 옆자리도 비어있었다. 1분단 2번째 줄 맨 뒷자리는 그냥 빈 책상일 수 있다.

'근데 강해연은 왜 안 왔지?'

강해연은 내가 학교에 처음 왔을 때부터 지금까지 단 한 번도 학교에 결석한 적이 없는 아이였다. 사실 강해연의 사정이라면 별로 궁금하지 않지만, 오늘은 갑자기 잘만 학교 다니던 얘가 빠지니 무슨 일이 있는 것처럼 느껴졌다.

하지만 어차피 강해연이 없다고 오늘 하루가 크게 달라지는 것도 아니다. 하지만 궁금했다. 마치 무슨 일이 있는 것처럼 보였기 때문이다.

그래 신경 쓰지 말자. 꼭 강해연의 모든 사정을 내가 알아야 하는 것도 아니니까.

선생님은 오늘 강해연이 결석에 대해 아무 말씀도 하지 않고 수업을 진행했다.

하여튼 지금 가장 문제는 최라희다.

'최라희와 대결을 해서 내가 이길 수 있을까?'

이제 진짜 김하나의 얼굴은 보고 싶지 않다. 진짜 김하나는 내 사정은 신경 쓰지 않고 자기 사정만 생각하는 것 같다는 느낌이 든다. 이걸로 따질 수도 없고 어떡할지 모르겠다. 그래서 내린 결론은 그냥 '이제 진짜 김하나를 만나지 말자.'였다. 진짜 김하나를 만나도 계속 자기 이야기만 하다가 결국 내가 진짜 하려고 했던 말은 하지도 못하는데 왜 꼭 만나야 하냐는 생각이 들었다. 그래서 진짜 김하나를 만나고 싶다는 생각이 지금은 전혀 들지 않는다. 예전엔 어떻게 해서든 진짜 김하나를 찾으려고 노력했었는데 지금은 아니다. 차라리 최라희랑 조건을 걸고 하는 내기도 사실은 내가 하기 싫으면 안 해도 되는 거다. 꼭 진짜 김하나의 말을 따르지 않아도 되는 법이다.

최라희가 고민을 할 시간을 준다고 했지만 나는 아무리 생각해도 내가 최라희를 이길 수 있는 방법이 생각나지 않았다.

내가 이 세계에 남아 있으면 나는 내 본모습으로는 살 수 없다. 나는 이 사실이 너무 슬펐다. 내가 남의 인생을 살고 있다는 사실 말이다. 정작 내 인생은 잘 살지 못하고 지금 나는 김하나의 몸에서 무엇을 하고 있는가. 지금 악마 세계에 남아 있을지도 모르는 나의 영혼 없는 형체는 지금 무얼 하고 있는가.

또 다른 세계

"좋아 나는 진짜 김하나가 아닌 나를 위해서 목숨 걸고 싸우겠어!"

어디서 나온 자신감일까? 갑자기 이런 생각이 들었다. 계속 김하나의 인생만 살 수 없다는 생각 말이다. 이젠 김하나보다 지금 악마 세계에 남아 있는 내 진짜 모습이 먼저다. 그러니 나는 진짜 김하나는 잊고 내 선택만 바라보겠어.

'잠시만 내가 지금 까먹은 게 있는 것 같은데? 아! 강해연!'

강해연은 지금 어디 있을까? 왜 선생님은 강해연에 대한 한 마디도 꺼내지 않았을까?

나는 최라희를 만나고 싶은 마음에 무작정 밖으로 나왔다. 최라희를 못 만날 수도 있는데 그냥 삼악동에 가고 싶었다. 빠른 걸음으로 삼악동으로 향하고 있던 그때.

"드디어 결정을 내린 건가? 흐흐흐"

"까아아악"

최라희였다. 최라희는 나를 가로막으며 나타났다, 최라희의 발은 공중에 둥둥 떠 있었다.

나는 털썩 주저앉고 말았다.

"좋아. 종목은 숨바꼭질이다. 일명 공포의 숨바꼭질. 제한 시간은 30분 내가 술래이고 네가 숨는 자이다. 장소는 우리 학교 전체, 이번 주 일요일에 바로 시작이다."

최라희는 갑자기 나타나 종목, 시간, 장소를 알려줬다.

"뭐? 숨바꼭질? 아 그리고 강해.."

"하 강해연?! 걔? 내가 죽였어. 캬캬캬. 역시 강해연 같은 애들은 조금만 놀아주면 선을 넘는다니까. 악마의 기운을 받아서 그런가? 카하하하. 아, 그럼 난 간다."

'최라희가 강해연을 죽였다고??'

그럼 강해연은 죽은 건가? 이제 인간 세계에 없는 존재인가? 최라희가 강해연을 죽여서 강해연의 자리가 비어있던 것이고, 최라희는 강해연에 대한 모든 걸 침묵시킨 거다. 그래서 선생님 반 아이들 모두 강해연에 대한 이야기를 하지 않은 거다.

그런데 종목이 숨바꼭질이라고? 자신은 없었다. 저번에 내가 최라희에게 종목은 뭐든 상관없다고 말했다. 하지만 설마 숨바꼭질을 할거라곤 상상도 하지 못했다.

숨바꼭질은 주로 어린아이들이 많이 하는 놀이이다. 인간 세계뿐만 아니라 악마 세계의 어린아이들도 많이 즐겨하는 놀이이다. 하지만 나는 어렸을 때 숨바꼭질을 많이 하지 않았다. 그 이유는 어렸을 때 악마 세계에서 숨바꼭질을 하다가 술래에게 죽을 뻔한 적이 있기 때문이다. 악마 세계에서 숨바꼭질을 하다 죽는 일은 흔한 일이지만 나는 그 일이 평생 트라우마로 남아서 그 이후로 단 한 번도 숨바꼭질을 해본 적이 없다. 지금이라도 가서 최라희에게 다른 종목으로 바꾸자고 말할까 말까 고민했다. 하지만 말하지 않았다. 어차피 부탁해도 안 들어줄 것이 분명했다.

강해연이 죽으면 나를 괴롭힐 아이가 한 명 줄어든 것이다. 하지만 최라희가 살인자라는 사실이 너무 끔찍했다. 그리고 나는 이번 주 일요일에 사람을 죽인 살인자와 숨바꼭질을 해야 하는 것이다.

'좋아. 그럼, 트라우마를 이겨내고 용기를 가지는 거야! 다음 주 일요일에 만나자. 최.라.희.'

오늘은 공포의 숨바꼭질 당일.

나는 공포의 숨바꼭질에서 이기기 위해 만반의 준비를 했다. 그리고 새벽 3시 50분에 학교로 출발했다. 학교에 가는 동안에도 학교에 들어설 때도 나는 단 한 명의 인간도 만나지 못했다.

'이 시간에 돌아다니는 인간이 있을 리가 없지.'

나는 3층으로 올라가 우리 반으로 들어갔다. 최라희가 정각 오전 4시에 2학년 4반에서 기다린다고 했기 때문이다. 나는 최라희보다 더 빨리 오거나 늦게 오는 게 싫어서 딱 정각 오전 4시에 교실 문을 열었다.

또 다른 세계

"하하하하 잘 찾아왔군."

"바로 시작하도록 하지."

"그 전에 궁금한 건 없는 것인가?"

"아 도대체 강해연을 죽인 이유는 뭐지?"

"강해연 그 천박한 이름을 이 최라희님 앞에서 부르다니! 특별히 알려주도록 하지. 너도 알잖아. 염라대왕과 염라대왕 조수가 무슨 일을 하는지. 나는 인간들을 모두 죽여 인간 세계를 악마 세계로 만들자는 염라대왕님의 말씀만 따랐을 뿐이지."

역시 그럴 줄 알았다. 최라희의 힘이란 참 대단하다. 난 힘이 대단한 최라희에게 배틀을 신청하도록 하겠다.

"정식으로 배틀을 신청한다. 최라희."

"좋아 우리 학교 1층부터 4층까지 마음껏 숨어라! 딱 30초를 주도록 하겠다. 그리고 만약 내가 너를 1시간 안에 찾지 못하면, 내가 지는 거고 1시간 안에 찾는다면 이 배틀은 내가 이기는 거다. 알겠나?"

뭐?! 30초? 참 어이없는 시간이었다. 어떻게 30초 안에 계단을 오르락내리락하냐는 말이다. 그리고 1시간을 찾는데 들키지 않는 방법은 없다. 이건 너무 불리하다고 생각한다.

"자.. 잠깐만"

"그럼 시작하도록 하지. 하하하."

최라희는 내 말을 들은 체도 하지 않았다. 그러고는 카운트를 세기 시작했다.

"30 29 28 27 26......."

나는 최대한 필사적으로 계단을 내려가야 했지만 이 짧은 시간 안에 계단을 내려갈 엄두가 나지 않았다.

"8 7 6 5 4"

'으악'

조금밖에 남지 않은 시간에 나는 속으로 소리를 지르며 바로 옆 반인 2학년 3반으로 들어갔다. 그리고 잽싸게 선생님 전용 책상 밑으로 들어갔다.

최라희의 목소리가 벽에 귀를 대면 다 들릴 정도로 가까운 나와 최라희는 가까운 곳에 위치해 있었다. 내가 숨은 곳은 찾기 어려운 곳도 아니었다. 그냥 고개만 숙이면 내가 어디에 있는지 바로 보일 것이다.

"2 1 0 땡. 찾는다."

드르륵.

"여기 있나아?"

교실 문이 열리며 최라희가 들어왔다. 1시간은 무슨 1분 만에 져버릴 지경이었다. 최라희의 발소리는 점점 나와 가까워졌다. 나는 공포에 떨며 한 발짝도 움직일 수 없었다.

이젠 책상 틈 사이에서 최라희의 발이 보였다.

'이제 나는 죽겠구나. 이제 나의 인생은 끝이겠구나.'

라고 생각하던 찰나.

"어어어억거어그어"

최라희의 신음소 리가 들렸다.

'뭐지? 무슨 일이지?'

그러더니 철푸덕하며 정신을 잃은 듯 쓰러졌다.

또 다른 세계

제 8장 최라희의 속마음

"이제 다 괜찮을 거야."

내 옆에서 누군가의 목소리가 들려왔다. 나는 천천히 고개를 돌렸다. 내 시선 끝엔 바로 강해연이 서 있었다!

"미안하다. 지금껏 괴롭혀서 내가 최라희한테 배신당하니까 네 기분이 뭔지 알겠더라."

"뭐?"

강해연의 이런 모습은 처음이었다. 항상 나를 괴롭히고 최라희의 오른팔로 살아오는 모습만 보았지. 이런 모습은 본 적이 단 한 번도 없었다.

"라고, 진짜 김하나에게 전해줘. 최라희한테 다 들었어. 너도 악마인 줄은 상상도 못 했네. 그래서 나도 하나가 다시 평범한 일상으로 돌아왔으면 좋겠어. 그러니 너가 도와줘야 해."

내가 아니라 진짜 김하나에게 하는 사과였다.

"허 나도 너한테 당한 세월이 몇인데 나한테도 사과하면 나도 진짜 김하나가 다시 평범한 일상을 되찾을 수 있도록 도울게."

"그래 정말 미안해. 하나가 다시 돌아오려면 네가 최라희의 속마음으로 들어가야 해. 내가 최라희는 아주 단단히 기절시켜 놨어. 아마도 한 1시간? 뒤에는 깨어날 거야. 두 눈을 질끈 감고 두 손을 모으면 너는 최라희의 마음속에 있을 거야."

"내가 최라희의 속마음으로 들어가라고?"

"어. 나는 도와줬다. 내가 안 도와줬으면 너 지금 죽었어. 어쨌든 행운을 빌게. 안녕."

그렇게 강해연과의 마지막 만남이 끝났다. 마지막 만남이 아닐 수도 있지만 왠지 지금이 아니면 다시 못 볼 것 같았다.

나는 쓰러진 최라희를 바라보았다. 쓰러진 최라희는 참 처참해 보였다. 딱히 최라희의 속마음으로 들어가고 싶지는 않았다. 최라희의 속마음을 알게 되면 좀 소름 끼칠 것 같았기 때문이다.

'그래도 강해연이 준 기회인데 한번 들어가 보자.'

또 다른 세계

나는 두 눈을 질끈 감으며 손을 모았다. 눈만 감고 손만 모아도 최라희의 마음속으로 들어갈 수 있다니 좀 신기하면서도 의심이 갔다. 그렇게 나는 나도 모르는 사이에 최라희의 속마음으로 빨려 들어갔다.

.

.

.

.

.

.

.

.

세상은 밤처럼 어두웠다. 빛이라곤 아무것도 보이지 않았다. 나의 기분 또한 어두웠다.

"혹시 이곳이 최라희의 속마음?"

최라희의 속마음은 소름이 끼칠 만큼 끔찍한 상상으로 가득 차 있을 줄 알았는데 최라희의 속마음은 굉장히 우울하고 처참했다.

'오? 저 아이는 누구지?'

아무도 없는 최라희의 속마음에 한 아이가 구석 쪽에 웅크리고 있는 게 보였다.

그 아이의 머리는 산발이었고 자세히는 안 보이지만 표정이 어두워 보였다. 나는 저 아이가 있는 곳으로 천천히 다가갔다. 내가 그 아이에게 한 발짝씩 다가갈 때마다 그의 얼굴이 더 선명하게 보였다. 점점 더 다가갈수록 나는 그 아이가 최라희의 얼굴과 똑같다는 것을 깨달았다. 그리고 직감적으로 이 아이가 최라희의 속마음이란 사실을 알게 되었다.

최라희의 속마음에게 말을 걸어야 한다. 그래야 최라희의 진짜 마음을 알 수 있기 때문이다. 저 최라희의 속마음이 또 얼마나 끔찍한 이야기일지는 모르겠지만 최라희의 속마음을 알아야 한다는 생각밖에 안 들었다.

"저기 혹시..."

나는 용기 내어 먼저 말을 건넸다.

"이게 다 염라대왕 때문이야."

"뭐?"

"내가 그때 속지만 않았더라면."

최라희의 속마음은 이해할 수 없는 말만 반복했다.

"염라대왕을 없애고 악마 세계에 평화가 찾아오려면 이 방법밖에 없어."

'염라대왕을 없애? 악마 세계에 평화? 이게 다 무슨 말일까?'

“이게 다 무슨 말이야?”

최라희의 속마음은 끔찍한 말을 내뱉지 않았다.

“내가 악마 세계에서 염라대왕에게 속아 염라대왕의 조수가 되었는데, 내가 인간 세계로 가서 염라대왕이 시키는 대로 인간들에게 평생 트라우마가 남을 정도로 괴롭히면 나를 새로운 염라대왕으로 임명해 준다는 거야. 그래서 난 어쩔 수 없이 이곳에 오게 되었어. 내가 염라대왕이 되어서 악마 세계를 평화로운 세계로 만들고 싶었거든. 그래서 염라대왕이 시키는 대로 난 따랐어. 하지만 난 지금 인간 세계에서 이런 짓을 하는 게 너무 끔찍하지만, 안 할 수가 없어.”

속마음은 거짓말을 하지 않는다. 최라희의 속마음도 진실만을 나에게 털어놓았다.

“아아”

최라희가 이런 속마음을 가지고 있을지는 상상도 못 했다. 최라희는 빨리 염라대왕이 되어 악마 세계를 평화로운 세계로 만들고 싶다고 했다.

나와 최라희의 속마음은 그렇게 각자의 속마음을 마구마구 털어놓았다.

"뭐야? 이제 곧 갈 시간이잖아. 1시간이 다 돼가. 안 되겠어. 난 이제 곧 빠져나가게 돼. 그럼, 안녕."

그렇게 나는 다시 최라희의 마음속에서 현실로 돌아오게 되었다.

3 2 1 따리리링딩딩디리.

종이 울렸다. 1시간이 끝났다는 종소리였다.

"어거그억어억."

또다시 최라희의 신음 소리가 들려오기 시작했다. 그리고 몸을 심하게 부르르 떨었다.

'뭐지? 이제 깨어난 건가?'

나는 그 이후로 두 눈으로 보고 믿기 힘든 광경을 보았다.

"으억."

최라희는 또다시 쓰러졌다.

하지만 최라희의 파란 영혼이 최라희의 쓰러진 몸에서 점점 몸을 일으키고 있었다. 그러더니 저 위로 점점 떠오르고 있었다, 온몸은 파랬고 얼굴은 최라희와 똑같았다. 표정에 후련함과 죄책감이 확 드러났다. 저게 뭘까?

"으악!"

나는 너무 깜짝 놀라 털썩 주저앉고 말았다.

교실 천장에 머리가 닿을 만큼 높이 올라간 파란 최라희이
영혼은 갑자기 눈물을 흘렸다.

"흑흑흑 정말 고마워 그리고 미안해. 이 대결에선 내가 패배
했으니, 너의 시간을 되돌려 줄게. 나는 이제 악마 세계에도
인간 세계에도 없는 존재야. 난 저 멀고 먼 하늘로 가야 해.
다시 한번 정말 미안하고 그럼 안녕..."

그렇게 최라희는 자기 잘못을 인정하며 죄책감을 끌어안고
하늘나라로 떠났다. 그리고 나도 다시 악마 세계로 떠났다.

또 다른 세계

나는 검은색으로 둘러싸인 방 안에서 눈을 떴다. 이곳에 온 것이 마냥 기쁘지만은 않았다. 나는 몸을 일으켜 내 얼굴을 확인했다.

"이제 김하나의 얼굴이 아니야! 진짜 내 얼굴이라고!"

나는 무사히 악마 세계에 돌아왔다. 거의 1년 만에 보는 내 얼굴이 어찌나 반가운지 모르겠다. 난 이제 다시 이름도 없어졌지만, 아직 긍정적인 기분이 남아 있다는 사실이 기뻤다.

또 다른 세계

제 **9장** 진짜 김하나의 시점

나는 어렸을 적 부모님이 이혼하셨다. 그 이유는 아빠가 큰 돈을 걸고 도박을 해 많은 빚이 생겨 엄마와 별별 마을로 이사를 오기로 했다.

하지만 이사 당일 날, 엄마는 큰 교통사고로 목숨을 잃으셨다. 나는 그때 세상을 잃은 것처럼 슬펐고 대성통곡을 하며 울었다.

이런 나를 달래주고 보살펴준 사람은 바로 우리 외할머니.

별별 마을의 아파트가 원룸이어도 상관없었다. 다른 아이들처럼 스마트폰이 없어도 괜찮았다. 우리 집 가구들이 모두 오래된 골동품이어도 괜찮았다. 사정이 넉넉하지 않아도 상관없었다. 할머니와 함께라면 어디든 갈 수 있을 것만 같았기 때문이다.

하지만 평소 백혈병을 앓고 있었던 할머니는 일찍 세상을 떠나셨다. 할머니는 아무리 돈이 부족해도 나에게 삼시세끼는 무조건 차려주시는 편이었다. 할머니는 내가 잘 먹고 건강하면 자신의 병원 치료 따위는 필요 없다고 말씀하셨다. 그래서 할머니가 돌아가신 건 모두 내 탓인 것 같았다. 나는 할머니를 잃은 슬픔에 몇 주 동안 학교에 나오지 않았다.

내가 오랜만에 학교에 나왔을 때는 이미 나의 친구는 없는 듯 보였다. 모두 무리를 지어 다니고 있었기 때문에 그 무리들 사이에 낄 틈도 없었다. 그런데 아주 이쁘장하게 생긴 두 아이가 나에게로 다가왔다.

"안녕 너 되게 착해 보인다. 우리랑 친구 할래?"

그 아이는 최라희와 강해연이었다. 이 둘은 학교에서 예쁘기로 소문 난 아이들이었다.

그렇게 나와 라희, 해연 우리는 영원한 우정 삼총사가 되었다. 학교가 끝나면 매일 같이 놀고, 점심도 같이 먹고, 서로 의지하며 노는 그런 삼총사 말이다.

무리가 홀수라면 한 번쯤은 소외감을 느꼈을 법도 한데 우리는 셋이여도 소외감 따위는 전혀 느끼지 않았다.

또 다른 세계

그런데 어느 순간부터 라희가 좀 이상해지기 시작했다. 갑자기 낄낄대며 웃질 않나, 갑자기 대장 노릇을 하기도 하고 그랬다. 나와 강해연은 그런 최라희를 장난이라고 생각하며 지냈다.

하지만 어느 날, 최라희가 나와 강해연에게 자신이 악마라고 고백했다. 당연히 나와 강해연은 믿지 않았고 단지 최라희의 장난이라고만 생각했다.

그런데 며칠 후, 내가 학교에 갔을 때 최라희와 강해연은 나를 은근히 나를 따돌리기 시작했다. 강해연은 자신을 악마라고 말한 최라희가 무서웠는지 최라희의 오른팔이 되어있었다. 최라희가 우리 셋이 있을 때 서로 내 욕을 하듯 문자를 주고받으며 키득대고 나를 매점 셔틀로 시키기도 했다.

그렇게 나는 매일 끔찍한 나날을 보낼 수밖에 없었다.

하지만 이런 나에게도 행복은 존재했다. 바로 최제호였다. 제호는 잘생기고 운동도 잘해서 내가 평소에 짝사랑하던 아이였다. 그래서 나는 제호에게 적극적으로 다가가는 편이었다. 제호도 나에게 마음의 문을 열고 썸을 타기 시작했다. 거의 사귀는 사이와 다름없었지만, 최라희도 제호를 좋아하는 듯했다. 그래서 나와 제호 또한 이어지지 못했다.

그런데 어느 날, 나와 똑같은 아이가 하나 생겨났다. 그 아이는 내가 안 보이는 듯했다. 물론 나도 내 얼굴이 보이지 않았다. 이 아이는 계속 내 행세를 하며 여기저기 돌아다녔다. 이 아이가 내 영혼을 뺏은 것 같았다.

나는 예전에 최라희가 했던 말이 생각났다. 자신이 악마라고 했던 말이 떠올랐다.

'혹시 저 아이도 악마인가?'

가짜 김하나는 제호와 데이트도 하며 좋은 나날을 보내고 있었다. 나는 그때 하늘에 계신 할머니를 위해, 제호를 위해 그리고 나를 위해 다시 내 영혼을 찾아야 한다고 생각했다. 그래서 내가 직접 가짜 김하나를 찾아갔다. 그러고는 다시 악마 세계로 돌아가라는 말을 하고 돌아왔다. 가짜 김하나는 나에게 물어볼 것이 많아 보였는데 나는 나의 영혼을 뺏은 아이와 말하고 싶지 않아서 내 말만 하다 가버리기 일쑤였다.

그래서 나는 가짜 김하나가 악마 세계로 갈 수 있는 방법을 열심히 연구했다.

며칠 동안 연구한 결과 최라희에게 조건을 걸고 배틀을 하면 가능할 것 같다는 생각이 들었다.

나는 무작정 가짜 김하나를 찾아갔다. 가짜 김하나가 내 말을 듣고 어이없어할 줄은 당연히 알고 있었다. 나를 뻔뻔하다고 생각할 것도 알고 있었다.

하지만 나는 반드시 나의 영혼을 되찾아야 했다. 내 영혼을 되찾아서 할 일이 많았기 때문이다. 그리고 제호도 만나야 했다. 그래서 가짜 김하나에게 무작정 말하러 갔다. 당연히 가짜 김하나는 어이가 없다는 표정을 지었고, 나는 이제 인간 세계에서의 내 인생은 끝이라고 생각했다.

그리고 일주일 후, 내가 눈을 뜬 곳은 우리 집이었다. 내가 침대에 누워있었다. 나는 서둘러 거울을 확인했다.

"어? 어?"

나는 지금, 이 상황이 믿기지 않았다. 내 손은 더 이상 내 얼굴을 통과하지 않았다. 그리고 거울엔 내 얼굴이 비쳐있었다.

"드디어 돌아왔어!!"

나는 내가 돌아왔다는 사실이 너무 기뻤다. 김하나는 결국 내 부탁을 들어주었다.

'그래도 마지막으로 내 얼굴 한번 보고 가지.'

내심 서운한 마음도 있었지만 그래도 행복한 마음이 더 컸다.

나는 이제 돈을 벌기 위해서 근처 카페에서 아르바이트를 사직했다. 그리고 죽은 강해연과 최라희랑은 비교도 안 되는 새로운 친구들도 많이 사귀었다. 그리고 드디어, 제호랑 알콩달콩한 연애를 시작하였다! 내 인생은 이제 기쁜 일밖에 남지 않았다.

또 다른 세계

제 10장 또 다른 세계

나는 최라희와의 공포의 숨바꼭질에서 승리한 대가로 악마세계에 오게 되었다. 나는 이제 거의 매일 유리구슬로 진짜 김하나의 삶을 지켜보고 있다. 진자 김하나는 새 친구도 사귀고 제호랑 특별한 사이가 되며 행복한 삶을 보내고 있었다. 하지만 나는 전혀 행복하지 않았다. 딱히 행복이란 감정이 느껴지는 일도 일어나지 않았다.

'혹시 내가 악마가 되며 긍정적인 마음도 사라졌나?'

아무리 생각해도 이건 아닌 것 같았다. 나는 현재 행복한 삶을 살고 있는 김하나를 보면 흐뭇한 웃음이 나지만 내 인생에서 웃을 일은 많이 없었다. 어쩔 땐 다시 인간 세계로 돌아가고 싶다는 생각도 들었다.

나는 오늘도 어김없이 평범하게 잠에 들었다.

　　　　　　　　　　　　　　　　　　　　　　또 다른 세계

"오 뭐야? 여긴 어디지?"

나는 솜사탕 같은 이상한 곳에서 눈을 떴다.

"여기는 네가 있을 곳이 아니야!"

"으악!"

한 할머니가 갑자기 나타나 나에게 이상한 말을 건넸다. 얼굴은 난생처음 보는 얼굴이었다. 마치 동화 속에 나오는 마녀 같은 느낌이었다.

"무슨 소리예요..?"

"여기는 네가 있을 곳이 아니라니까!"

갑자기 할머니는 소리를 질렀다.

"허억 허어, 허어, 허엇."

나는 잠에서 깨어났다. 악몽은 아닌 것 같았지만 어딘가 무서웠다. 어쩌면 악몽일 수도 있겠다.

오늘 이 꿈을 꾼 이후로 다음날, 다다음날, 다다다음 날까지 이 할머니가 꿈에 나와서 이곳은 내가 있을 곳이 아니라는 이상한 말을 건넸다. 마치 데자뷰처럼 매일 똑같은 말의 톤이었다.

그 할머니가 꿈에 나온 지 일주일째 되는 날, 오늘 밤에도 당연히 꿈에 할머니가 나왔다. 하지만 오늘은 평소와는 꿈 분위기가 많이 달랐다.

"넌 이곳에 있으면 위험에 처하게 될 거야."

오늘은 말투가 평소보다 상냥한 느낌이었다. 마치 나를 걱정하듯 말이다.

"내일 꼭 다시 찾아오마."

평소엔 악몽이라고 생각했지만, 꾸면 꿀수록 악몽이 아닌 것 같기도 했다.

'도대체 이 꿈은 무엇일까? 이 할머니는 누구일까?'

나는 궁금증이 멈추지 않았다. 저 할머니는 대체 누구인지, 나쁜 사람인지, 착한 사람인지 전혀 감이 오지 않았다.

'혹시 나를 잡아가거나 협박하는 건 아니겠지?'

조금 걱정이 되었다. 하지만 나도 가끔은 내가 악마 세계에 있으면 무언가 안 좋을 일이 닥칠 것 같다고는 생각했었다.

"진짜 다시 인간 세계로 갈까?"

나는 고민했다. 하지만 인간 세계론 가지 못할 것 같았다. 또 누군가의 영혼을 뺏기엔 양심이 좀 찔렸다. 그리고 아무리 존재감이 없는 아이의 영혼이라도 이렇게 다시 악마 세계로 돌아올 게 분명했다.

'인간 세계도, 악마 세계도 모두 내가 있을 곳이 아니야. 그럼 난 어디로 가야 할까?'

나도 나를 모르겠다. 나는 어디에 있어야 안정을 찾고 평화를 누릴 수 있었다.

그 할머니가 누구든 나는 그 할머니를 만나야 한다. 나는 오늘 밤을 기다리고 또 기다렸다.

　지금은 오후 10시, 나는 매일 11시 이후에 자지만 오늘은 일찍 침대로 향했다. 그리고 오늘도 빨리 잠에 들었다.

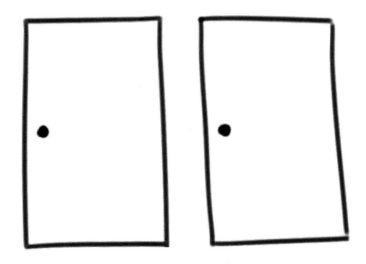

또 다른 세계

"뭐지? 여기는?"

나는 이상한 곳에서 눈을 떴다. 그 할머니가 나오던 장소가 아닌 2가지 문이 있는 굉장히 이상한 곳이었다. 그리고 어제의 꿈이랑 다른 게 또 한 가지가 더 있었다. 이건 꿈이 아닌 것 같았다! 인간이나 악마나 현실을 꿈이라고 착각하는 일은 정말 드문 일이다. 꿈을 현실이라고 착각할 순 있지만 이건 현실이었다.

"다시 만났군."

그 할머니였다.

"지금 너에게 두 가지 선택지를 주도록 하지. 우선 왼쪽 문으로 들어가면 너는 지금과 다를 것 없는 평범한 인생을 살게 돼. 하지만 곧 너에게 위험한 일이 닥치게 될 거야. 반대로 오른쪽 문을 선택한다면 너는 악마 세계가 아닌 또 다른 세계로 가게 돼. 확실한 건 또 다른 세계로 간 네가 훨씬 더 안전하다는 거야."

"또 다른 세계..?"

"나를 믿지 않는다면 왼쪽 문을 선택해도 좋아. 선택을 너에게 맡기겠어."

싸악.

그 할머니는 악마 세계 VS 또 다른 세계라는 어려운 과제를 남기고 빛 속으로 사라졌다.

악마 세계냐 또 다른 세계냐 그것이 문제로다. 사실 또 다른 세계가 조금 더 끌리긴 했다. 하지만 어디로 가는지도 모르는 또 다른 세계에 가면 더 위험한 일이 벌어질 수도 있다. 그리고 그 할머니가 누구인 줄도 모른다. 혹시나 또 다른 세계가 지옥이라면 나는 바로 죽어버릴 것이다.

나는 그 자리에서 한참을 고민하고 또 고민했다.

그래서 나온 결과는 또 다른 세계가 무슨 세계든 그 할머니가 누구든 악마 세계에 있는 것보다 그곳이 더 안전하다니 나는 오른쪽 길로 가기로 결심했다. 그곳이 지옥이든 천국이든 가봐야 안다.

나는 과감하게 오른쪽 문으로 향했다.

또 다른 세계

"어어억"

오른쪽 문에 들어가자 마자 엄청난 빛이 나를 감싸기 시작했다. 눈이 부셨다. 나는 너무 밝은 빛에 눈이 부셨지만 꾹 참고 통로를 걸었다. 걸으면 걸을수록 끝이 보이기 시작했다. 그러며 또 다른 세계에 사는 아이들의 목소리도 들려왔다.

"총괄 점령님, 그럼 꿈의 점령은 어떻게 되는 겁니까?"

"다 방법이 있다. 걱정하지 마라."

누군가의 순수한 목소리가 들려오며 통로의 끝에 도달했다.

"어, 으억"

나는 난생처음 보는 너무 밝은 빛에 정신을 잃고 말았다.

.

.

.

.

.

.

.

또 다른 세계

"정신이 드니?"

눈을 뜨자마자 할머니가 보였다. 꿈에 나오던 그 할머니 말이다. 그 꿈에서 나온 할머니와 얼굴은 같지만, 인상이 너무 달라 처음엔 못 알아보았다. 그 꿈에서는 무서웠지만 지금은 따듯한 느낌이 더 강했다.

"이 아이가 바로 꿈의 점령입니까?"

"아직 자세한 건 모르는 상황이다."

할머니의 옆에 있는 나보다 어려 보이는 아이가 할머니께 물었다.

'꿈의 점령? 그건 무슨 말이야? 그리고 여긴 또 어디고?'

이곳은 하얀색으로 둘러싸여 있었다. 그리고 여러 방문이 보였다.

"아, 내 소개가 늦었군. 나는 천사 세계의 기둥, 총괄 점령이다."

"네? 이곳이 천사 세계라고요?"

"그렇고말고."

'그럼 내가 천사가 된 거야?'

"안녕? 내 이름은 라온이야. 만나서 반가워."

나보다 어려 보이는 아이가 인사했다. 이름은 라온이란다.

"나는 구름의 점령이야. 비와 눈이 내리는 일과 구름을 움직이기도 하고, 구름의 모양을 바꾸는 아주 재미있는 일을 하고 있어."

"어 안녕 내 이름은......."

생각해 보니 나는 이름이 없다. 악마 세계에선 굳이 태어난 자의 이름을 짓지 않는다. 나도 그 이유는 모른다. 그냥 대대로 전해지는 문화랄까?

"악마 세계에서 와서 이름이 없는 모양이구나. 내가 너에게 아주 좋고 예쁜 이름을 지어주지."

"저에게 이름을 지어주신다고요?"

나에게 이름이 생긴다니 기분이 좋았고 기대됐다.

"이제부터 너를 셜리라고 부르도록 하겠다."

"안녕 셜리 히힛."

라온도 말을 덧붙였다. 하나, 라희 같은 이름이 아니어서 조금 불편할 것 같았지만 그래도 셜리라는 이름으로 살면 좋은 일이 일어날 것 같았다. 그래서 기분도 덩달아 좋았다.

"그럼, 제가 셜리라는 이름을 갖고 천사가 된 겁니까? 악마에서?"

"그렇다고 볼 수 있지. 네가 인간 세계로 갔을 때 좋은 기운을 많이 받아 악마에서 천사가 될 수 있게 되었다. 너는 이제 다른 세계에 가지 않아. 죽을 때까지 여기 있을 거란 말이지."

할머니 아니 총괄점령 님의 말을 듣고 머릿속에서 떠오르는 한 인간이 있다. 그 말을 듣자마자 나는 제호가 머릿속에 들어왔다.

'혹시 내가 좋은 기운을 받은 사람이 제호이지 않을까?'

"네가 할 일이 있다."

"할 일이 뭡니까?"

내가 여기 와서 처음 할 일이라니 좀 기대됐다.

"우리 천사 세계에는 인간 세계를 지키는 점령들이 있다. 해의 점령, 달의 점령, 날씨의 점령 등등. 너를 이제부터 꿈의 점령으로 임명한다!"

"예? 제가 꿈의 점령이라고요?"

"라온, 네가 설리를 가르쳐주어라."

"넵! 따라와."

"어? 어."

라온은 나를 많은 문 중 왼쪽 가장 끝에 있는 방으로 이끌었다.

"여기는 꿈의 방이야. 다른 방들보다 훨씬 더 넓어. 여기서 간들의 꿈을 결정해. 꿈이란 건 아무 의미 없는 꿈도 많지만, 인간들의 미래를 예상하고 컨디션에 따라 꿈을 꾸게 해야 해. 여기서 전에 일하던 점령이 그런 걸 생각하지 않고 꿈을 줘서 천사 세계에서 쫓겨났어. 설리 너는 꼭 열심히 일하길 바라. 난 네 바로 옆방이야. 자주 놀러 와. 안녕."

나는 오늘 천사 세계에 처음 와서 엄청난 행복을 느꼈다. 악마 세계의 악마들은 모두 한가했지만 천사 세계는 달랐다.

모두가 각자의 일을 하느라 바빴다. 나는 먼저 밤이 되기 전에 꿈의 스토리를 모두 짜야 한다. 그리고 밤이 되면 하나씩 짐을 날라 인간들의 머리맡에 갖다주어야 한다. 정말 바쁜 하루이지만 나는 매일 매일이 행복했다. 인간들이 좋은 꿈을 꾸는 걸 보면 나도 덩달아 기분이 좋아진다. 그리고 인간들이 잠꼬대하는 걸 보면 저절로 웃음이 나온다.

이제 더 이상 여러 세계를 옮겨 다니지 않아도 될 것 같다.

"어이 셜리, 잘 돼 가? 처음이라 많이 힘들진 않고?"

라온이었다.

"응! 좀 힘들지만 재미있어. 하루하루가 마치 꿈만 같아."

"좋아하니까 다행이네. 너를 주려고 눈꽃 아이스크림을 만들었어."

"어 고마워!"

이곳은 딱 내가 원하던 세상이었다. 그리고 나는 점령 친구도 많이 사귀었다. 특히 라온이랑 제일 친했는데 매일 같이 내 방에서 자곤 했다. 내 방에서 자야 좋은 꿈을 꾼다나 뭐라나. 그런데 밤까지 열심히 일해야 하는 천사 세계 점령들에겐 잘 시간이 많이 없었다. 그래서 보통 점령들이 쉴 때 잠을 자곤 한다. 나도 지금 라온이와 잠을 자려고 한다.

그로부터 한달 후,

나는 총괄점령님께 충격적인 사실을 듣게 되었다. 그건 바로 악마 세계가 봉인됐다는 것이다!

총괄점령의 말에 따르면 악마 세계 악마들은 천사 세계를 믿지 않지만, 악마 세계의 염라대왕과 천사 세계는 아주 오래 전부터 라이벌이었다고 한다. 그래서 서로 견제하고 있던 찰나, 총괄 대왕님이 악마 세계를 돌멩이에 봉인하는 데 성공했다고 했다.

나쁜 일을 하면 다시 자신에게 되돌아온다는 말이 있다. 악마 세계는 드디어 벌을 받은 모양이었다.

하지만 그 돌멩이가 깨지면 악마 세계는 언제든 다시 깨어날 수 있다고 한다.

나는 지난 1년간 악마 세계, 인간 세계, 그리고 천사 세계를 돌아다니며 아주 많은 것을 깨달았고 많은 도전도 했다. 그 중 인간 세계에 사는 김하나의 인생은 내가 생각했던 인간 세계보다 더 험하고 괴로웠지만 내가 인간 세계에 머물러 있으며 이걸 이길 한 단어를 찾아냈다.

그건 바로 '긍정'.

긍정만 있으면 긍정적인 생각을 많이 하게 되고, 그러면 인생이 조금이라도 행복해진다는 생각이 든다.

갑자기 김하나가 보고 싶어졌다. 천사 세계에서 유리구슬은 존재하지 않는다.

'잘 지내고 있으려나?'

이 우주라는 곳에는 끝도 없이 많은 세계가 존재 하나 보다.

"또 다른 세계로!"

작가의 말

　혹시 살다가 한 번쯤은 또 다른 세계가 있다고 생각한 적이 있지 않나요?

　제가 학교에서 처음 책을 쓰라고 했을 때 굉장히 막막했습니다. 주제도 생각이 안 나고 감도 못 잡겠고 그랬지만 친구들의 도움으로 인해서 주제와 결말을 결정했습니다.

　이 이야기는 주인공의 세계 여행 이야기를 바탕으로 했습니다. 지구에는 여러 나라들과 다양한 문화가 존재 합니다. 세계 각지의 여러 가지 나라들은 다양한 문화와 특징을 가지고 있습니다. 이 책에 나온 3개의 세계들도 각각 다른 문화를 가지고 있었습니다. 악마 세계, 천사 세계 등을 미국, 독일 등으로 바꾸면 주인공이 다른 나라로 떠나 그 나라에만 있는 새로운 환경과 느낌을 적응하는 내용이 될 것입니다. 그러니 이 책을 읽을 때 이 세계의 문화, 특징, 환경 등을 생각하며 읽어 주셨으면 좋겠습니다.

　　　　　　　　　　　　　　　　　　　또 다른 세계

이 책에서 제가 전하고 싶은 말은 알다시피 긍정입니다. 주인공은 주변에 안 좋은 일이 많았음에도 불구하고 긍정적인 마음가짐을 다지고 좋은 생각을 하며 여기까지 오게 되었습니다. 그러니 여러분도 힘든 일이 닥칠 땐 긍정을 떠올려 보세요.

- 손서은

또 다른 세계

또 다른 세계

발 행 | 2023년 12월 12일
저 자 | 손서은
펴낸이 | 한건희
펴낸곳 | 주식회사 부크크
출판사등록 | 2014.07.15.(제2014-16호)
주 소 | 서울특별시 금천구 가산디지털1로 119 SK트윈타워 A동 305호
전 화 | 1670-8316
이메일 | info@bookk.co.kr

ISBN | 979-11-410-5903-3

www.bookk.co.kr